Isabel Abedi

Lola macht Schlagzeilen

Isabel Abedi

Lola macht Schlagzeilen

Mit Illustrationen von Dagmar Henze

Band 2

Loewe

Für die Schlafanzugreporterinnen Sofia, Moema und Papoula und die Zeitungsschreiberinnen Josephine, Karlotta und Franziska. Für Olaf Wildenhaus, Bernd Lettenewitsch und Herrn Früchtenicht, die mir ihre Namen liehen, und für Peter Oepping, der mir verriet, was man mit Ziegenkötteln anstellen kann.

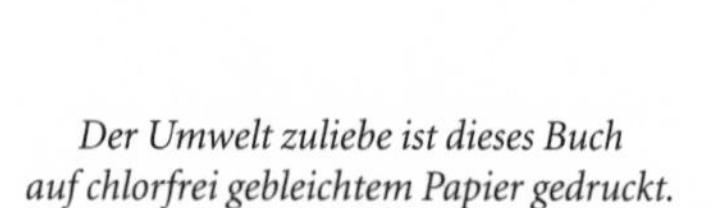

*Der Umwelt zuliebe ist dieses Buch
auf chlorfrei gebleichtem Papier gedruckt.*

ISBN-10: 3-7855-5337-4
ISBN-13: 978-3-7855-5337-4
3. Auflage 2006

Umschlagillustration: Dagmar Henze
Umschlaggestaltung: Andreas Henze
Printed in Germany (007)

www.loewe-verlag.de

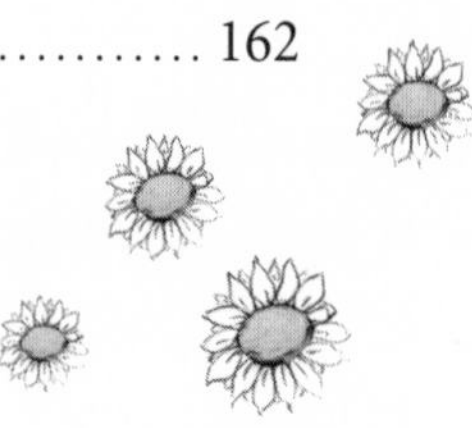

1. FEENSPUCKE UND EIN NASSES BETT

Eigentlich wollte ich ja mit dem Wasserpistolenbanditen anfangen, aber meine Freundin sagt, so richtig losgegangen ist die ganze Geschichte doch eigentlich mit der Fee.

Also fange ich eben mit der Fee an.

Die Fee war meine ganz geheime und absolut außergewöhnliche Entdeckung. Außergewöhnliche Entdeckungen gehören zu meinem Beruf, denn ich bin Reporterin und schreibe für die Zeitung.

Mein Reportername ist Lo. Ve., und ich bin in meinem Beruf ziemlich berühmt, weil das, was ich für die Zeitung schreibe, wirklich sehr, sehr außergewöhnlich ist. Letzte Woche habe ich zum Beispiel über einen sprechenden Birnbaum geschrieben und in der Woche davor über einen Menschen mit zwei Nasen und in der Woche davor über ein fliegendes Schaf.

All das habe ich natürlich auch wirklich entdeckt, sonst käme es ja nicht in die Zeitung, sondern in ein Buch. In Büchern stehen ausgedachte Geschichten. In der Zeitung stehen wahre Geschichten. Die kann man nicht einfach erfinden, man muss sie finden. Deshalb bin ich als Reporterin auch ständig auf der Suche. Wie ein Detektiv. Nur dass ein Detektiv nicht über seine Entdeckungen schreibt, jedenfalls nicht in der Zeitung. Eine Reporterin hat da viel mehr zu tun. Die entdeckt erst was, und dann schreibt sie darüber. Und dann kommt es in die Zeitung, und dann erfährt die ganze Welt davon. Und dann wird die Reporterin berühmt. So wie ich.

Als Reporterin schreibe ich natürlich auch über aufregende Ereignisse oder mache Interviews mit außergewöhnlichen Menschen. Mit gefährlichen Bankräubern zum Beispiel oder mit berühmten Sängerinnen. Ich war selbst auch mal eine berühmte Sängerin, aber das ist eine andere Geschichte.

Diese Geschichte beginnt nun eben mit der Fee, denn in der Nacht, als alles anfing, entdeckte ich sie. Die Fee saß in einer leeren Coladose, die ein Junge ins Gebüsch gekickt hatte. Ich hatte ihr Geschrei gehört und war dem Jungen hinterhergeschlichen. Leuten hinterherschleichen gehört natürlich auch zu

meinem Beruf, und darin bin ich besser als jeder Detektiv. Als der Junge die Coladose ins Gebüsch gekickt hatte, ging er weiter, wahrscheinlich weil er das Geschrei nicht gehört hatte. Es war ja auch ein sehr leises Geschrei. Aber wenn man als Reporterin unterwegs ist, muss man Augen und Ohren offen halten.

Ich ging also dem Geschrei nach und kroch auf allen vieren ins Gebüsch. Dabei schürfte ich mir die Hände auf und blutete, aber einer echten Reporterin kann so etwas nichts anhaben. Und im nächsten Moment entdeckte ich dann auch die Fee.

Sie war aus der Coladose herausgekrochen, und ihr Kopf war ganz verbeult, weil sie durch das Kicken hin und her geschüttelt worden war. Da musste ich sie erst mal verbinden. Leider hatte ich nur ein benutztes Taschentuch dabei, aber ich hatte erst einmal reingeschnieft. Die Fee war sehr dankbar, und als ich sie fragte, ob ich ein Interview mit ihr machen dürfte, sagte sie Ja.

Sie setzte sich auf mein Knie, und ich holte mein Mikrofon heraus. Dann stellte ich ihr alle möglichen Fragen (so macht man das bei einem Interview), und die

Fee gab mir auf jede Frage eine Antwort. Das Interview ging so:

Interview mit Fee

Ich: Bist du eine echte Fee?
Die Fee: Ja.
Ich: Gibt es außer dir noch andere Feen?
Die Fee: Nein.
Ich: Dann bist du die einzige überhaupt noch lebende Fee?
Die Fee: Ja.
Ich: Findest du das traurig?
Die Fee: Nein.
Ich: Ist die Coladose dein Zuhause?
Die Fee: Ja.
Ich: Wohnst du schon lange hier?
Die Fee: Na ja. Ich bin vor vier Monaten hier eingezogen. Aber jetzt muss ich wieder umziehen, weil mein Zuhause zerstört ist.
Ich: Und wo ziehst du jetzt hin?
Die Fee: Mal sehen, wo was frei ist.
Ich: Und du bist wirklich richtig, richtig echt?
Die Fee: Ja-haa!
Ich: Kannst du auch Wünsche erfüllen?

Die Fee: Ja.
Ich: Brauchst du dazu einen Zauberstab?
Die Fee: Nein.
Ich: Und wie erfüllst du die Wünsche dann?
Die Fee: Ich verreibe ein wenig Feenspucke zwischen meinen Fingern, und wenn die Spucke verrieben ist, geht der Wunsch in Erfüllung.
Ich: Erfüllst du mir auch einen Wunsch?
Die Fee: Ja.

An dieser Stelle legte ich das Mikrofon zur Seite und fing an zu überlegen. Ich hatte ziemlich viele Wünsche und konnte mich nicht entscheiden, welchen ich am wichtigsten fand.

„Ich wünsche mir, dass ich zaubern kann", sagte ich deshalb. Dann könnte ich mir alles Mögliche wünschen und es selbst wahr zaubern.

Die Fee holte tief Luft, spuckte sich einen kleinen, goldenen Spucketropfen auf ihren Zeigefinger und rieb mit dem Daumen dagegen. Sie rieb und rieb, und die Spucke wurde weniger und weniger, und gleich würde mein Wunsch in Erfüllung gehen. Ich fühlte mich wunderbar.

Aber dann wurde es plötzlich nass. An meinem linken Bein. Sehr, sehr nass und sehr, sehr warm.

Und in diesem Moment kehrte ich zurück in die Wirklichkeit.

Tja. Die Wirklichkeit. Das war mein Kinderzimmer in Hamburg. In der Bismarckstraße 44, um genau zu sein. Und es war Nacht.

Ihr müsst nämlich wissen, dass ich bis zu diesem Moment nur nachts Reporterin war und dass ich so außergewöhnliche Dinge wie sprechende Birnbäume und Feen in Coladosen natürlich auch nur nachts entdecke. Und zwar immer dann, wenn ich wach liege und nicht schlafen kann. Das ist bei mir allerdings fast jede Nacht der Fall. Und weil es ziemlich langweilig ist, schlaflos im Bett herumzuliegen, denke ich mir dann immer aus, wer ich noch sein könnte, wenn ich nicht ich wäre.

Eine ganze Weile lang war ich in solchen Nächten immer Sängerin und hieß Jacky Jones. Das hat auch ziemlich viel Spaß gemacht. Aber irgendwann wollte ich etwas Neues sein. Seitdem bin ich Reporterin und nenne mich Lo.Ve. Lo.Ve. ist eine Abkürzung, weil man es als Reporterin manchmal ziemlich eilig hat. Dann dauert es zu lange, seinen ganzen Namen zu sagen oder zu schreiben, und deshalb braucht man eine Abkürzung. Außerdem klingt Lo.Ve. schön außergewöhnlich, finde ich.

Und gerade jetzt, wo meine absolut außergewöhnliche Entdeckung so richtig schön spannend wurde, musste meine Freundin mir ans Bein pinkeln.

Das war nämlich das Nasse, Warme, das mich zurück in die Wirklichkeit holte.

In Wirklichkeit heiße ich übrigens Lola. Lola Veloso. Meine Freundin heißt Flo Sommer, und das mit dem Pinkeln war natürlich keine Absicht. Flo hat einen fehlenden Reflex. So nennt das jedenfalls meine Mama, und die ist Krankenschwester und muss es wissen. Der fehlende Reflex bedeutet, dass Menschen wie Flo nachts nicht merken, wenn sie pinkeln müssen. Normalerweise wacht man ja auf, wenn man muss, und hält das Pipi so lange an, bis man auf dem Klo ist. Dafür sorgt der Reflex. Aber wenn Flo schläft, schläft der Reflex bei ihr wohl auch. So stelle ich mir das zumindest vor. Jedenfalls – wenn Flo nachts muss, macht sie ins Bett und wacht dabei nicht einmal auf.

Und weil sie in dieser Nacht bei mir geschlafen hatte, machte sie in mein Bett.

Der nasse, warme Fleck an meinem Bein wurde schnell ganz kalt, und meine vorgestellte Fee verschwand.

Seufzend weckte ich Flo, und dann weckten wir

Mama, damit sie uns frisches Bettzeug und neue Schlafanzüge gab.

Als wir wieder im Bett lagen, war ich hundemüde. Flo dagegen war hellwach und wollte unbedingt eine Geschichte hören, damit sie wieder schlafen konnte.

Also erzählte ich Flo, dass ich nachts die Reporterin Lo.Ve. war und für die Zeitung schrieb und dass ich in dieser Nacht die einzige überhaupt noch lebende Fee entdeckt hatte – und plötzlich wurde Flo ganz aufgeregt.

„Das ist die Idee, Lola!", unterbrach sie mich.

„Was? Das mit der Fee?"

„Nein", sagte Flo ungeduldig. „Das mit der Zeitung."

„Wieso?" Ich setzte mich auf, und Flo knipste das Licht an.

„Weil wir so was doch in echt machen können!"

„Wie, was?“ Ich begriff nicht, was Flo meinte.

„Na, Sachen schreiben. Für die Zeitung.“

„Spinnst du?“ Ich zeigte Flo einen Vogel. „Zeitungen gibt’s in Wirklichkeit doch nur für Erwachsene. Du glaubst doch nicht im Ernst, dass die von Kindern was geschrieben haben wollen.“

„Die vielleicht nicht“, grinste Flo. „Aber wir können doch unsere eigene Zeitung machen. Wenn du Lo.Ve. heißt, bin ich Flo.So., und zusammen sind wir ein richtiges Team!“

Meine Kopfhaut juckte, wie immer, wenn ich aufgeregt bin. Die Idee war wirklich gut. Vor allem, weil noch immer eine ganze Woche Sommerferien vor uns lag. In diesem Jahr waren wir nicht in Urlaub gefahren, weil Papai gerade die *Perle des Südens* eröffnet hatte und weil Penelope dort gerade als Kellnerin angefangen hatte.

Die *Perle des Südens* ist unser Restaurant, und Papai ist mein Papa. Er kommt aus Brasilien, deshalb nenne ich ihn Papai, weil das Papa auf Brasilianisch heißt. Penelope ist Flos Mama. Während der Schulzeit arbeitet sie meistens tagsüber in der *Perle des Südens*. Aber in den Ferien arbeitete sie auch abends dort. Dann schlief Flo immer bei mir.

Flo und ich waren erst seit kurzem beste Freundin-

nen und verbrachten jede freie Minute zusammen. So was ist für beste Freundinnen ganz normal. Wir gingen mit Tante Lisbeth zum Schwimmen oder besuchten Oma im Buchladen oder schrieben magische Wörter für Flos Schatzkiste oder brachten ihrem Hamster Harms Kunststücke bei, und mittags gingen wir in die *Perle des Südens* zum Essen.

Aber in den letzten Tagen hatte uns dann doch die Langeweile gepackt. Und gegen Langeweile ist eine eigene Zeitung natürlich ein sehr, sehr gutes Mittel.

Flo und ich unterhielten uns noch eine ganze Weile darüber, was in unserer Zeitung so alles stehen sollte. Und gleich am nächsten Morgen ging es los.

2. DIE FLOLO MOPO

Der nächste Morgen war ein Sonntag, und da schlafen bei uns immer alle aus. Aber wenn man eine Zeitung schreiben will, muss man früh aufstehen, auch wenn Sonntag ist und auch wenn Ferien sind.

Deshalb hatte Flo meinen Wecker auf fünf Uhr gestellt. Als er klingelte, sprangen wir aus dem Bett und gingen aufs Klo. Dort liegen immer die Zeitungen, die Papai liest, wenn er sein großes Geschäft macht. (Flo sagt, „großes Geschäft", das klingt, als würde Papai auf dem Klo Sachen verkaufen oder Geld verdienen oder so was. Aber ich finde, „großes Geschäft" klingt genau richtig, und deshalb bleibe ich dabei.) Jedenfalls dauert bei Papai das große Geschäft meist ziemlich lange, und ich glaube, das liegt daran, dass die Zeitungen so dick sind.

„Wir schauen erst mal nach, was da so alles drinsteht", sagte Flo. „Die guten Sachen schneiden wir dann aus und kleben sie in unsere Zeitung."

Leider standen in Papais Zeitungen nicht sehr viele gute Sachen. Das meiste war langweilig oder unverständlich oder schrecklich. Vor schrecklichen Sachen habe ich Angst, die will ich nicht in meiner Zeitung haben.

Aber eine gute Sache fand ich doch. Sie war zwar auch ein bisschen schrecklich, aber irgendwie auch lustig und vor allen Dingen spannend. Die Überschrift lautete: **„HAMBURG SUCHT DEN WASSERPISTOLENBANDITEN."**

Ich schnitt die Seite aus und las Flo vor, was unter der Überschrift stand: *„Seit einigen Wochen versetzt ein sonderbarer Verbrecher Hamburgs Ladenbesitzer in Angst und Schrecken. Getarnt mit einer Strumpfmaske, dringt der Bandit in die Läden ein und bedroht die Besitzer mit seiner Waffe. Sobald die Ladenbesitzer ihre Kassen geleert haben, schnappt er sich das Geld und beschießt die verängstigten Menschen zum Dank mit Wasser. Ein Porzellangeschäft, ein Pralinenladen und eine Metzgerei wurden auf diese Weise bereits überfallen. Weitere Angriffe sind nicht auszuschließen, und da die Waffe des Banditen wie eine normale Pistole aussieht, ist äußerste Vorsicht geboten. Hinweise auf den Übeltäter nimmt jede Polizeidienststelle dankend entgegen."*

Flo kicherte. „Ein Bandit mit einer Wasserpistole. Das nehmen wir. Das kommt ganz nach vorn in unsere Zeitung."

Außer der Seite mit dem Wasserpistolenbanditen schnitten wir noch den Wetterbericht und ein Foto des neugeborenen Elefantenbabys im Hamburger Zoo aus.

Alles andere war nicht zu gebrauchen.

Wir klebten die drei Sachen auf weiße Papierbögen. Die lochten wir und banden sie mit einem Bindfaden zusammen.

„Ich finde unsere Zeitung noch etwas dünn", sagte ich.

Flo nickte. „Wir fangen ja auch gerade erst an." Sie fuhr sich durch ihre schwarzen Zauselhaare und sah aus dem Fenster. „Wir müssten selbst ein paar Sachen entdecken, die wir in die Zeitung schreiben", murmelte sie.

Ich dachte an meine Fee, die ich letzte Nacht interviewt hatte, und plötzlich hatte ich eine Idee. „Wir könnten doch auch echte Interviews machen."

Flo war begeistert. „Weck deine Eltern", sagte sie. „Wir interviewen sie auf deiner Bühne. Mit Mikro und allem."

Dazu muss ich kurz erklären, dass ich eine eigene Bühne habe. Ich habe sie selbst gebaut, und vor den Sommerferien bin ich dort immer als Sängerin aufgetreten. Ein selbst gebasteltes Mikrofon habe ich auch, aber das war für unseren Plan nicht zu gebrauchen. Dafür habe ich einen kleinen Kassettenrekorder, in den man reinsprechen kann. Der war für unsere Reporterbühne genau das Richtige.

Im Gegensatz zu Flo waren meine Eltern leider nicht begeistert, als ich sie für unser Zeitungsinterview aus dem Bett holen wollte.

„Bist du wahnsinnig geworden?“, schrie Mama mich an, als ich ihr einen Knallkuss ins Ohr gab. „Weißt du eigentlich, wie spät es ist?“

Natürlich wusste ich, wie spät es war. Es war zwanzig nach sechs, und Flo und ich waren immerhin seit über einer Stunde auf den Beinen.

„Raus mit dir, Cocada“, murmelte Papai im Schlaf und drehte sich auf die andere Seite. Cocada ist eine brasilianische Kokosnusssüßigkeit. Und Papai nennt mich so, weil er Kokosnüsse liebt.

Aber jetzt wollte er nichts von mir wissen, denn er hatte die halbe Nacht gearbeitet.

Flo und ich mussten noch drei Stunden warten, bis es endlich an unsere Tür klopfte. Papai kam im

Schlafanzug ins Zimmer geschlurft. Seine Augen waren noch immer ganz verquollen, und seine Haare standen in alle Richtungen vom Kopf ab.

„So erscheint man aber nicht zu einem Interview", sagte ich vorwurfsvoll.

„Ist doch egal", sagte Flo ungeduldig. „Setzen Sie sich bitte hier hin." Sie zeigte auf die Bühne. Normalerweise sagt Flo natürlich du zu meinem Papai. Aber heute waren wir Reporterinnen, und da sagt man besser Sie.

Papai setzte sich auf unsere Bühne. Flo drückte den Kassettenrekorder auf „Aufnahme", und ich fing mit der Befragung an. Unser erstes echtes Interview ging so:

Interview mit Papai

Ich: Wie heißen Sie?
Papai: Fabio Veloso.
Ich: Woher kommen Sie?
Papai: Aus Brasilien.
Ich: Wie lange haben Sie dort gelebt?
Papai: 31 Jahre.
Ich: Und wie lange leben Sie in Deutschland?
Papai: 13 Jahre.

Ich: Dann sind Sie jetzt also 54 Jahre alt.
Papai: Falsch.
Ich: Wieso?
Papai: Weil Sie sich verrechnet haben.
Ich: Echt? … Moment … Stimmt: Sie sind 44 Jahre alt!
Papai: Ganz genau.
Ich: Welchen Beruf haben Sie?
Papai: Ich leite ein brasilianisches Restaurant.
Ich: Gibt es da auch Fisch?
Papai: Natürlich.
Ich: Und Ratten?
Papai: Natürlich nicht!
Ich: Haben Sie eine Frau?
Papai: Ja.
Ich: Lieben Sie Ihre Frau?
Papai: Und wie!
Ich: Machen Sie Sex mit Ihrer Frau?
Papai: Das geht die Zeitung nichts an.
Ich: Haben Sie schon mal eine Fee gesehen?
Papai: In Bilderbüchern ja. In echt leider noch nicht.
Ich: Was ist Ihr größter Wunsch?
Papai: Im Augenblick eine Tasse starker Kaffee.
Ich: Das ist wirklich ein sehr, sehr langweiliger Wunsch. Also dann. Tschüss.

Flo drückte den Kassettenrekorder auf „Stopp", und Papai schlurfte in die Küche, um sich seinen Wunsch zu erfüllen. Nach dem Frühstück wollten wir eigentlich Mama interviewen, aber die hatte Kopfschmerzen, weil sie nicht genügend Schlaf bekommen hatte.

Dafür durften wir am Nachmittag auf Tante Lisbeth aufpassen. Die kam uns für ein Interview natürlich gerade recht. Als wir sie zu uns auf die Bühne holten, war meine Tante so aufgeregt, dass sie ihr ganzes T-Shirt nass sabberte. Aber unsere Fragen beantwortete sie alle:

Interview mit Tante Lisbeth

Ich: Wie heißen Sie?
Tante Lisbeth: Ibsel!
Ich: Was ist Ihr Lieblingsessen?
Tante Lisbeth: Okolaate!
Ich: Und was halten Sie von Möhrenpapp?
Tante Lisbeth: Bääääh!
Ich: Wie finden Sie unsere Zeitung?
Tante Lisbeth: Witzig!
Ich: Was können Sie noch sagen?
Tante Lisbeth: Eil!

Vielleicht sollte ich noch kurz hinzufügen, dass meine Tante erst zweieinhalb Jahre alt ist und daher noch nicht richtig sprechen kann. Das einzige Wort, das sie ganz deutlich sagt, ist „witzig", und in den Sommerferien übten Flo und ich mit ihr das „geil". Aber da konnte sie das G noch nicht. Trotzdem beschlossen Flo und ich, Tante Lisbeths Interview mit in die Zeitung zu nehmen. In den Tagen darauf zogen wir los, um nach aufregenden Ereignissen und außergewöhnlichen Entdeckungen zu suchen, über die wir schreiben konnten. Aufregenden Ereignissen begegneten

wir leider nicht. Aber Flo entdeckte eine kaputte Sonnenbrille, eine Wasserratte am Kanal und einen toten Käfer auf der Straße. Der Käfer war grün, und ich fand, dass er aussah, als wäre er vom Mars gefallen. Aber Flo sagte, glauben reicht nicht, jedenfalls nicht, wenn man für die Zeitung schreibt.

Ich entdeckte ein Fahrrad ohne Räder und jede Menge Coladosen, aber Feen waren nicht drin. Außerdem fand ich hinter den Mülltonnen bei unserem Spielplatz eine Wasserpistole. Sie war klein und gelb und sah nicht so aus, als ob sie einem Wasserpistolenbanditen gehörte. Deshalb schenkte ich sie Tante Lisbeth.

Wir wussten nicht so richtig, was wir über unsere Entdeckungen schreiben sollten, und beschlossen, einfach eine Liste daraus zu machen. Die sah dann so aus:

Entdeckungen auf Hamburgs Wiesen und Wegen:

1 Sonnenbrille (kaputt)
1 Wasserratte (lebend)
1 grüner Käfer (tot und möglicherweise vom Mars)
1 Fahrrad ohne Räder
15 Coladosen ohne Fee
1 gelbe Wasserpistole (ungefährlich und nicht geladen)

Mit dieser Liste, den Sachen aus Papais Zeitung und unseren beiden Interviews hatten wir genau sechs Seiten, das fanden wir für einen Anfang gar nicht schlecht.

Wir banden alle Blätter zusammen und nannten unsere Zeitung FLOLO MOPO. FLOLO war für Flo und mich, und MOPO war die Abkürzung für Morgenpost.

Dann waren die Sommerferien zu Ende. Aber meine Lust, für die Zeitung zu schreiben, hatte jetzt erst richtig angefangen. Und irgendwo in mir drin hatte ich so ein Gefühl, als ob noch etwas Großes auf mich warten würde. Etwas sehr, sehr Großes.

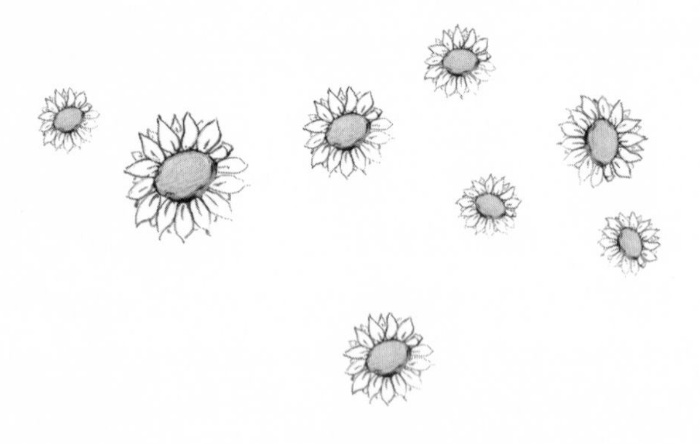

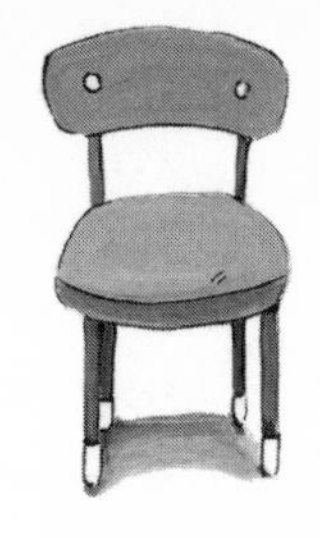

3.

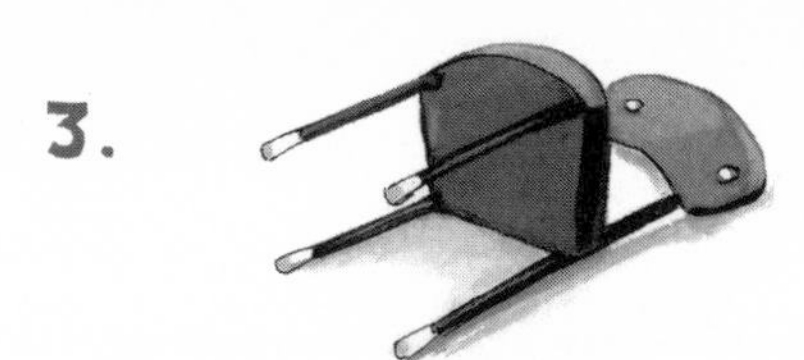

ICH KOMME IN DIE VIERTE UND HABE EINE IDEE

In der Nacht hatte ich kaum geschlafen, weil ich als Reporterin auf den Mars geflogen war, um nach grünen Käfern zu forschen. Als Mama mich am nächsten Morgen weckte, war ich es, die schimpfte: „Bist du wahnsinnig geworden? Weißt du eigentlich, wie spät es ist?“

„Es ist zwanzig nach sieben, mein Schatz“, sagte Mama. „Und in vierzig Minuten kommst du in die vierte Klasse.“

Hups! Das hatte ich über meiner Marsreise völlig vergessen. Mit einem Satz sprang ich aus dem Bett und zog mich an. In die vierte Klasse zu kommen, ist eine sehr, sehr aufregende Sache, denn dann ist man die älteste Klasse der Schule, und außerdem kriegt man Patenkinder. Das sind die Erstklässler. Allerdings würden wir darauf noch ein paar Tage warten

müssen, denn die Erstklässler werden immer eine Woche später eingeschult.

Unser erster Schultag begann mit einem Erzählkreis. Alle sollten erzählen, was sie in den Sommerferien gemacht hatten. Bei den meisten Kindern hörte ich auch gerne zu. Bei Sol zum Beispiel, der mit seiner Familie in Quito gewesen war. Quito ist die Hauptstadt von Ecuador und liegt in Südamerika, genau wie Brasilien. Ansumana hatte seine Großeltern in Afrika besucht. Aber dass er dort auf einem Elefanten geritten war, glaubte ich ihm nicht.

Die Kussmaschine war mit seinen Eltern in Italien gewesen und sagte, er hätte dort den echten Zungenkuss gelernt. Darüber mussten wir fast alle lachen. Die Kussmaschine heißt in Wirklichkeit Mario. Aber alle nennen ihn die Kussmaschine, weil er immer die Mädchen küssen will. Vor allem Annalisa und Frederike. Deshalb waren sie auch die Einzigen, die nicht lachten. Bis jetzt hatte Mario den Mädchen immer einen Kuss auf die Backe gepatscht. Das würde sich von nun an sicher ändern.

Annalisa hatte ihre Brieffreundin Corinna auf dem Reiterhof besucht, und anschließend war sie mit ihren Eltern in einem Hotel mit fünf Sternen gewesen. Das mit dem Hotel fand ich langweilig, weil es

gar keine echten Sterne waren, sondern nur ein Merkmal für ein besonders schickes Hotel. Ich fing an, auf meinem Stuhl zu kippeln. Ich kippelte vor und zurück und vor und zurück, immer doller und doller, bis ich mit einem lauten PENG nach hinten fiel und wie ein Käfer auf dem Rücken lag.

„Lola, möchtest du uns jetzt erzählen, was du in den Sommerferien erlebt hast?“, fragte Frau Wiegelmann, als ich wieder saß und Annalisa zu Ende erzählt hatte.

„Ich habe mit Flo eine Zeitung geschrieben“, sagte ich und holte die FLOLO MOPO aus dem Schulranzen. (Ich hatte sie am Morgen extra eingepackt.) Annalisa kicherte blöd, aber die anderen fanden unsere Zeitung toll. Frederike meldete sich und fragte: „Können wir so was nicht auch mal in der Schule machen? Die Schule von meiner großen Schwester hat eine Schülerzeitung, die heißt TINTENKLECKS und wird sogar richtig verkauft.“

Plötzlich redeten alle durcheinander, und ich ärgerte mich ein bisschen, dass ich nicht selbst auf die Idee gekommen war. Aber ich hatte ja auch keine

große Schwester und konnte deshalb nicht wissen, dass es Schülerzeitungen gab.

Wenn ich nicht von der FLOLO MOPO erzählt hätte, hätte Frederike sich allerdings auch nicht gemeldet. Also war die Idee im Grunde von mir. Und die Vorstellung, für eine richtig echte Schülerzeitung zu schreiben, regte mich so auf, dass ich fast zum zweiten Mal vom Stuhl gefallen wäre. Meine Kopfhaut juckte auch schon wie verrückt.

Frau Wiegelmann sah uns nachdenklich an. „Das ist keine schlechte Idee", sagte sie schließlich. „Ich wollte mit euch sowieso noch über die Wahlpflichtkurse sprechen. Da würde das Thema Schülerzeitung gut hineinpassen."

„Wahlpflichtkurse? Was'n das?", rief Sol.

„Wahlpflichtkurse sind Fächer, die eure normalen Unterrichtsstunden ergänzen", sagte Frau Wiegelmann. „Alle vierten Klassen dürfen daran teilnehmen, sodass ihr in diesen Stunden eine ganz neue Gruppe seid. Das Projekt soll sieben Wochen dauern. Fest stehen schon die Malwerkstatt, der Kochkurs und der Handwerkskurs. Aber vielleicht …" Frau Wiegelmann stand auf, notierte etwas in ihr Klassenbuch und sagte: „Lasst mich eine Weile darüber nachdenken. Wir machen jetzt erst mal mit dem Er-

zählkreis weiter. Riekje, was hast du in den Sommerferien erlebt?“

Riekje erzählte, und dann erzählte Sila, und dann gingen wir in die Aula, um unser Begrüßungslied für die Erstklässler zu üben. Es hieß „Tut mir auf die schöne Pforte“, und Gottes Haus kam auch drin vor. Aber so genau bekam ich das alles gar nicht mit. Ich hatte nur noch die Schülerzeitung im Kopf.

Darüber hätte ich mich auf dem Nachhauseweg auch am liebsten mit Flo unterhalten, aber die schien mit etwas anderem beschäftigt zu sein. Alle paar Meter blieb sie stehen und machte komische Boxbewegungen in der Luft.

„Spinnst du?“, fragte ich.

„Nein“, sagte Flo und sprang beim Boxen wie ein Springball auf und ab. „Ich trainiere.“

„Wozu denn das?“

„Wozu wohl?“ Flo verdrehte die Augen. „Schließlich werden wir bald Paten und müssen die Erstklässler beschützen. Da fang ich schon mal an zu trainieren.“

„Ach so“, murmelte ich. Und während Flo wild in der Luft herumboxte, überlegte ich, wie lange Frau Wiegelmann wohl brauchte, um über meine Idee nachzudenken.

4.

MEIN HERZ WIRD GROSS UND WEIT

Frau Wiegelmann brauchte noch eine ganze Weile. Jedesmal, wenn ich sie auf die Schülerzeitung ansprach, sagte sie: „Geduld, Geduld. Jetzt sind erst mal die Vorbereitungen für die Erstklässler an der Reihe."

Damit konnte ich leben, denn auf die Erstklässler freute ich mich inzwischen fast so sehr wie auf die Schülerzeitung. Ich übte zwar nicht den ganzen Tag Boxen wie Flo, aber beschützen wollte ich mein Patenkind natürlich auch.

Oma sagt immer, man kann nie früh genug damit anfangen, Verantwortung zu übernehmen, und ich finde, damit hat sie Recht.

Mit den Vorbereitungen für die Erstklässler hatten wir in den nächsten Tagen jedenfalls alle Hände voll zu tun.

„Der erste Schultag ist einer der wichtigsten Tage im Leben", sagte Frau Wiegelmann, „und den wollen wir den Kleinen so schön wie möglich machen."

Als es am Donnerstag dann endlich so weit war, hatten wir die ganze Schule geschmückt und waren mächtig stolz auf uns. Unsere Klasse, die 4b, hatte aus weißen Bettlaken lange Fahnen zurechtgeschnitten. Darauf schrieben wir mit bunten Stiften die Namen der Erstklässler. Dann hängten wir die Fahnen vor die Fenster, und alle Leute auf der Straße blieben vor unserer Schule stehen, um die Namen der neuen Schulkinder zu lesen.

Die 4a hatte eine Blumengirlande aus Krepppapier gebastelt, mit der die Eingangstür verziert wurde, und die 4c hatte das Ziegengehege dekoriert.

„*Flocke und Tupfer heißen euch herzlich willkommen*“, stand auf einem großen Schild. Flocke und Tupfer sind unsere Ziegen. Sie waren zur Feier des Tages ganz sauber gebürstet worden.

Als die Erstklässler kamen, stand ich mit allen anderen Viertklässlern in der Aula auf der Bühne und wartete darauf, dass wir endlich singen durften. Die Aula war zum Platzen gefüllt. Mütter, Väter, Omas, Opas, Tanten, Onkel und Geschwisterkinder drängelten sich in den hinteren Reihen. Die Erstklässler saßen vorn und hielten jeder eine Sonnenblume in der Hand. Die hatte unser Direktor, Herr Maus, an sie verteilt.

Als endlich alles still war, gab uns Frau Wiegelmann das Zeichen. Wir sangen das Lied mit der Pforte und mit Gott, und dann sangen wir: „*Aaaalle Kinder lernen Leeeeeesen, auch Indianer und Chineeeeesen! Selbst am Nordpol lesen alle Eskimos: HALLO KINDER, JETZT GEHT'S LOS!*"

Die letzte Zeile sangen wir aus voller Kehle. Die Eltern wischten sich mit Taschentüchern im Gesicht herum, und die Erstklässler sahen uns mit großen Augen an. Ihre Gesichter waren ein bisschen ernst und ein bisschen ängstlich und ein bisschen stolz, und plötzlich hatte ich das Gefühl, als ob mein Herz ganz groß und ganz weit würde. Ich dachte, dass ich gleich ein Patenkind bekommen würde und dass ich von nun an eine Verantwortung haben und bald für eine echte Schülerzeitung schreiben würde.

Dann hielt Herr Maus eine Ansprache, und dann durften die Erstklässler in ihre Klassen gehen. Nach der Pause wurden wir dann endlich Paten.

Unsere Patenklasse war die 1b. Als ich hinter Flo den Klassenraum betrat, juckte meine Kopfhaut so sehr, als ob es mein eigener erster Schultag wäre.

Die Erstklässler saßen schon auf ihren Stühlen, und ihre Augen waren noch größer als vorhin in der Aula.

Mein Blick huschte über die Kinder und blieb an einem kleinen Mädchen in der letzten Reihe hängen. Es hatte eine bunte Brille und kurze schwarze Zöpfe, die ihm wie kleine Teufelshörner vom Kopf abstanden. Neben dem Mädchen saß ein Elefant. Kein echter Elefant natürlich, sondern einer aus Stoff, aber er war fast so groß wie das Mädchen, und eine bunte Brille trug er auch. Ich wunderte mich, dass ich die beiden nicht in der Aula gesehen hatte. Aber als mich das Mädchen anlächelte, wurde das Gefühl in meinem Herzen noch viel größer und weiter. Da wusste ich, dass ich mein Patenkind gefunden hatte.

„Ich hätte bitte gern das Mädchen neben dem Elefanten!“, rief ich, so laut ich konnte.

Die Klassenlehrerin lachte und sagte: „Wenn sie dich auch gern hätte, dann ist ja alles klar.“

Das Mädchen neben dem Elefanten nickte, und dann ging ich zu ihr hin und fragte sie nach ihrem Namen. „Ich heiße Lina Müller“, piepste das Mädchen.

„Hallo, Lina Müller!“, sagte ich. „Ich heiße Lola Veloso und werde dich von nun an beschützen.“

Eine Viertelstunde später hatten auch die anderen aus meiner Klasse ihre Patenkinder ausgewählt. Bei den meisten ging es fast so schnell wie bei mir. Nur Jonas und Sol prügelten sich um einen Erstklässler in der ersten Reihe, und deshalb bekamen sie ihn beide nicht.

Flo bekam ihn und war damit auch sehr zufrieden. Der Junge hieß Moritz Schlüter. Er hatte blonde Locken und blaue Augen und sah aus wie ein kleiner Engel.

Als Flo und ich an diesem Tag nach Hause gingen, hatte ich so gute Laune wie noch nie in meinem Leben. Ich hatte ein Patenkind, und Frau Wiegelmann hatte zu Ende gedacht.

In der fünften Stunde, als die Erstklässler längst zu Hause waren, hatte sie uns die gute Nachricht eröffnet: Morgen würden die Wahlpflichtkurse beginnen. Und einer davon hieß „Schülerzeitung“.

5.

EIN MÖGLICHER POPSTAR UND NEUES VOM WASSERPISTOLENBANDITEN

Mittags aßen Flo und ich in der *Perle des Südens.* Opa stand hinter der Bar und machte die Getränke, während Papai und Penelope bedienten.

„Da können sich die Erstklässler ja wirklich freuen, dass sie jeder einen eigenen Paten haben“, sagte Penelope, als sie uns das Essen servierte. „Ich bin in meinem ersten Schuljahr immer von den Jungs aus der Zweiten geärgert worden. Und wir hatten keine Paten, die uns beschützten.“

„Mein Moritz sieht auf jeden Fall so aus, als ob er Schutz gebrauchen könnte“, meinte Flo und schnupperte begeistert an ihrem dampfenden Fischgericht. „Er ist so klein und so blond und so blauäugig, und er hat nicht mal einen Elefanten an seiner Seite wie Lolas Lina.“

Ich antwortete nicht, weil ich so tief über meinem Teller hing, dass mich die Reiskörner an der Nasenspitze kitzelten.

Ich kann Fisch nämlich nicht riechen und ärgere mich immer noch, dass Papai in seinem Restaurant unbedingt dieses Stinktier auf der Speisekarte haben muss. Stockfisch oder Kabeljau sind ja gerade noch zum Aushalten. Aber heute Mittag musste Flo sich unbedingt Zoró bestellen. Das ist ein brasilianischer Fischeintopf, und der riecht einfach abscheulich.

Zum Nachtisch bestellten wir Papo-de-anjo. Das heißt auf Deutsch Engelskehlchen. Es besteht fast ausschließlich aus Zucker und riecht sehr, sehr lecker.

„Ich finde, wir sollten schon mal ein bisschen für die Schülerzeitung üben und noch ein Interview machen", schlug ich vor, als wir mit Essen fertig waren. Die Mittagsgäste waren bereits gegangen. Opa spülte die Gläser, Papai und Penelope wischten die Tische sauber und stellten den Kuchen für den Nachmittagskaffee auf den Tresen.

An der Bar saßen Berg und Zwerg und machten Pause. Zwerg ist unser Koch. Er kommt aus Brasilien und heißt eigentlich Emilio. Aber weil er so klein ist, nennen wir ihn heimlich Zwerg. Berg ist unser Hilfskoch. Er ist sehr groß und sehr dick. Weil Berg als

Erster mit dem Essen fertig war, fragten wir ihn, ob wir mit ihm ein Interview machen durften. Meinen Kassettenrekorder hatte ich nicht dabei, deshalb stellte ich die Fragen, und Flo schrieb alles auf.

Interview mit Berg

Ich: Wie heißen Sie?
Berg: Mohammed Bongo.
Ich: Aus welchem Land kommen Sie?
Berg: Aus Afrika.
Ich: Ist Afrika so groß wie Deutschland?
Berg: Oh, viel größer!
Ich: Gibt es in Afrika Elefanten?
Berg: Ja.
Ich: Kann man auf denen reiten?
Berg: Auf manchen ja.
Ich: Kann man Elefanten auch kochen?
Berg: Oh, nein!
Ich: Was kocht man denn in Afrika?
Berg: In Afrika gibt es unzählige Gerichte! Wir essen viel Reis und Gemüse und Fleisch natürlich auch. Mein Lieblingsessen ist gekochtes Huhn mit verschiedenen Gemüsesorten, das in frischen Bananenblättern serviert wird.

Ich: Haben Sie das Kochen in Afrika gelernt?
Berg: Ja. Ich habe elf Geschwister, und unsere Eltern mussten beide arbeiten. Deshalb war ich schon als Kind der Familienkoch.
Ich: Und jetzt kochen Sie mit Zwe… ich meine: mit Emilio für die *Perle des Südens.*
Berg: Ja.
Ich: Vielen Dank und auf Wiedersehen.

Berg verbeugte sich, und dann ging er mit Zwerg zurück in die Küche, um Gemüse fürs Abendessen zu schälen. Papai, Penelope und Opa hatten sich jetzt ebenfalls für eine kurze Pause hingesetzt, weil gerade nichts zu tun war. Nur ganz hinten am Fenster saß eine Frau mit blonden Haaren und winkte, weil sie etwas bestellen wollte.

„Darf ich das machen?“, fragte ich. Eigentlich dürfen Kinder ja nicht in Restaurants bedienen. Aber nachmittags drückt Papai manchmal ein Auge zu. Er nickte, ich schnappte mir die Speisekarte und marschierte zum Fenster.

„Guten Tag. Sie wünschen, bitte?“

Die blonde Frau lächelte mich an. Ihr Mund war leuchtend rot geschminkt, und sie war so schön wie ein Popstar.

„Ich hätte gerne einen Kaffee, junges Fräulein", sagte sie mit einer überraschend tiefen Stimme.

Ich hasse es, wenn man mich „junges Fräulein" nennt, und normalerweise gebe ich auf so etwas auch immer eine sehr unfreundliche Antwort. Aber Papai sagt, der Kunde ist König, da muss man freundlich sein, egal, was kommt.

Deshalb sagte ich höflich: „Was für einen Kaffee hätten Sie denn gerne? Wir haben Espresso und Filterkaffee und Milchkaffee."

„Einen Espresso bitte, junges Fräulein", sagte die Blonde, und ich ging an die Bar, um bei Opa die Bestellung aufzugeben.

Als ich mit dem Espresso wiederkam, hatte die Blonde die Zeitung aufgeschlagen. Ich stellte den Espresso auf den Tisch, und dabei fiel mein Blick auf die Titelseite.

„DER WASSERPISTOLEN-BANDIT HAT WIEDER ZUGESCHLAGEN", stand da in großen Buchstaben. Neugierig beugte ich mich vor. Ich konnte gerade noch entziffern, dass der Wasserpistolenbandit ein Geschäft mit teurer Da-

menunterwäsche überfallen hatte, als die Blonde hinter der Zeitung hervorkam.

„Danke sehr, junges Fräulein", sagte sie und nickte mir zu. „Du kannst mir dann auch gleich die Rechnung bringen."

„Vielleicht war die Blonde ja wirklich ein Popstar", sagte ich, als wir später bei Flo waren. „Ich hätte ein Interview mit ihr machen sollen, dann hätten wir schon was für die Schülerzeitung. Oder …" – meine Kopfhaut kribbelte schon wieder –, „oder wir schnappen den Wasserpistolenbanditen! Dann könnten wir sogar etwas über einen echten Verbrecher schreiben. Wär das nicht cool?"

Flo zeigte mir einen Vogel. „Du glaubst doch nicht im Ernst, dass zwei Grundschulkinder einen echten Verbrecher schnappen. Wie soll denn das funktionieren?"

Ich kraulte Hamster Harms das Fell und zuckte mit den Achseln.

Aber als ich nachts nicht schlafen konnte, funktionierte es problemlos. In meiner Vorstellung erwischte ich den Wasserpistolenbanditen auf frischer Tat. Es war in einem Schmuckladen. Der Bandit war größer als Berg und zog eine gigantische Wasserpistole aus der Tasche.

„Diamanten her, oder ich mach dich nass!“, brüllte er. Die Verkäuferin warf sich auf den Boden und bettelte um Gnade.

Und dann kam ich.

Ich schlich mich von hinten an und drückte dem Banditen mein Mikrofon in den Rücken.

„Hände hoch, oder ich schieße!“, sagte ich. Da ließ der Bandit die Wasserpistole fallen und stand zitternd da, bis die Polizei kam. Die brachte ihn ins Gefängnis, und dort zwang ich den Banditen zu einem Interview. Das kam dann in die Zeitung, und ich wurde die berühmteste Reporterin der Welt.

6. EINE GUTE UND EINE SCHLECHTE ÜBERRASCHUNG

Flo hat mal gesagt, das Leben ist ein Überraschungsei. Es macht Kracks, und heraus kommt etwas, mit dem man nicht gerechnet hat. Manchmal was Gutes und manchmal was Schlechtes.

An diese Worte musste ich am nächsten Schultag denken. Da gab es nämlich gleich zwei Überraschungen, mit denen wir nicht gerechnet hatten. Die eine war gut, die andere war schlecht.

Die gute Überraschung kam zuerst und hatte mit der Schülerzeitung zu tun. Aus unserer Klasse hatten sich acht Kinder gemeldet, und aus den Parallelklassen kamen insgesamt noch sieben dazu. Vor der Pause hatten wir unsere erste Stunde, und als wir in die Klasse kamen, begrüßte uns ein echter Zeitungs-Fotograf! Er hieß Olaf Wildenhaus und war der Freund von Frederikes Mutter. Im letzten Schuljahr

hatte er unsere Klasse beim Müllaufsammeln in den Park begleitet, und unser Foto war in die Zeitung gekommen.

„Frau Wiegelmann hat mich letzte Woche angerufen", sagte Olaf Wildenhaus, als wir auf unseren Plätzen saßen. „Sie hat mir von eurer Idee mit der Schülerzeitung erzählt und mich gefragt, ob ich ein paar Anregungen hätte. Ich fand die Idee so gut, dass ich mich angeboten habe, mit euch ein paar Stunden zu machen. Wenn es ein guter Kurs wird, mache ich für meine Zeitung vielleicht auch einen Artikel darüber."

Frederike bekam vor lauter Stolz einen knallroten Kopf, und ich stieß Flo vor Begeisterung so fest in die Seite, dass sie einen Hustenanfall bekam.

Frau Wiegelmann ist eine sehr, sehr gute Lehrerin, aber von einem echten Zeitungs-Fotografen unterrichtet zu werden, ist natürlich etwas ganz Besonderes.

Als Erstes fragte Olaf Wildenhaus, welche Eigenschaften man als Reporter haben muss.

„Man muss schlau sein", sagte Frederike.

„Man muss gut schreiben können", sagte Ansumana.

„Man muss neugierig sein", sagte ich. Die anderen

lachten, aber Olaf Wildenhaus nickte. „Lola hat Recht“, sagte er. „Das Neugierigsein ist für einen Reporter das Allerwichtigste. Denn für diesen Beruf muss man viel über die Welt und über die Menschen wissen wollen. Und dazu muss man viele Fragen stellen.“

„Wieso, weshalb, warum“, sang Sol. „Wer nicht fragt, bleibt dumm.“

„Genau“, sagte Olaf Wildenhaus. Dann sprachen wir darüber, dass eine Zeitung immer in verschiedene Themen unterteilt ist, und wir sollten sagen, welche uns einfielen.

„Außergewöhnliche Entdeckungen“, sagte ich (und dachte an meine Fee).

„Wichtige Menschen“, sagte Flo.

„Richtige Verbrecher“, sagte ich (und dachte an den Wasserpistolenbanditen).

„Krieg“, sagte Tom aus der 4c.

„Nackte Frauen“, sagte die Kussmaschine.

„Witze“, sagte Sol.

„Interviews“, sagte ich (und dachte an die Interviews von mir und Flo).

„Wilde Tiere“, sagte Jonas.

„Fremde Länder“, sagte Ansumana.

„Fremde Planeten“, sagte Dimitris aus der 4c.

„Nachrichten aus aller Welt“, sagte Frederike.

„Berühmte Popstars“, sagte ich (und dachte an die blonde Frau aus der *Perle des Südens*).

„Das Wetter“, sagte Larissa aus der 4a.

„Rätsel“, sagten Riekje und Sila wie aus einem Mund.

„Aufregende Ereignisse“, sagte ich (und dachte mit kribbelnder Kopfhaut an alles, was möglicherweise noch passieren konnte).

„Die Titelseite“, sagte Frederike.

„Die Titelseite ist doch kein Thema!“, sagte Annalisa.

„Ist sie wohl“, sagte Frederike.

„Ist sie nicht“, sagte Annalisa.

„Ihr habt beide Recht“, sagte Olaf Wildenhaus. „Auf der Titelseite steht immer das wichtigste Thema der Zeitung. Mal ist es eine außergewöhnliche Entdeckung oder ein aufregendes Ereignis, mal ist es ein gesuchter Verbrecher oder ein berühmter Popstar. Und manchmal ist es auch das Wetter.“

„Und wer entscheidet, was das wichtigste Thema ist?“, fragte ich.

„Das entscheidet der Chef der Zeitung“, sagte Olaf Wildenhaus. „Und manchmal entscheidet auch das Thema selbst. Wenn etwas besonders Aufregendes

oder Außergewöhnliches passiert, will natürlich jede Zeitung davon auf ihrer Titelseite berichten."

„Zum Beispiel, wenn auf der Erde ein Ufo landet", sagte Dimitris aus der 4c.

„Zum Beispiel", lachte Olaf Wildenhaus. „Aber jetzt sollten wir vielleicht noch ein bisschen über eure Zeitung sprechen. Bei der Schülerzeitung seid natürlich ihr der Chef. Da könnt ihr selbst entscheiden, über was ihr gerne schreiben wollt. Überlegt euch für die nächste Stunde mal, welche Themen euch so einfallen. Es können lustige, außergewöhnliche oder auch ganz alltägliche Sachen sein. Vielleicht auch etwas über eure Lehrer oder über die Ziegen oder über die Patenkinder. Frederike hat mir erzählt, dass ihr jetzt alle ein Patenkind in der ersten Klasse habt. Das kann auch ein gutes Thema für die Schülerzeitung sein."

„Und welches Thema kommt auf unsere Titelseite?", fragte ich.

„Das, was wir alle am wichtigsten finden", sagte Olaf Wildenhaus. Dann klingelte es zur Pause.

„Also wir nehmen auf jeden Fall die Titelseite", sagte ich, als ich später mit Flo in die Pause ging. „Ein wichtiges Thema finden wir schon noch. Oder wir machen ein wichtiges Interview, darin haben wir doch schon Übung!"

Flo packte ihr Schulbrot aus und biss kräftig hinein. Ich blieb stehen und hielt die Luft an, weil es ein Fischbrötchen war. Fettiges Heringsfilet quoll aus beiden Seiten hervor, und der Geruch zog durch den ganzen Schulflur. Manchmal glaube ich, Flo will mich damit ärgern.

„Also, ich will lieber über die Patenkinder schreiben", schmatzte sie.

Ich wich Annalisa und Frederike aus, die an uns vorbei die Treppe herunterrasten, dicht gefolgt von der Kussmaschine.

„Meinst du denn, die Patenkinder sind für die Titelseite wichtig genug?", fragte ich mit zugehaltener Nase.

Flo zuckte die Schultern und leckte sich einen dicken Majonäseklecks von den Fingern. „Ist mir eigentlich egal", sagte sie.

„Ich kann Lina ja mal interviewen", überlegte ich laut. „Vielleicht hat sie einen berühmten Vater oder einen Verbrecher in der Familie oder sonst was Außergewöhnliches. Damit kämen wir bestimmt auf die Titelseite."

„Vielleicht“, sagte Flo und zog mich am Ärmel die Treppe runter. „Aber ich würde lieber darüber schreiben, wie wir unsere Patenkinder beschützen. Und jetzt komm, die Pause ist gleich zu Ende!“

Der Schulhof war noch immer geschmückt. Aber das Begrüßungsfest war vorbei, und für die Erstklässler war heute der erste richtige Schultag. Flo und ich hielten Ausschau nach Lina und Moritz. Moritz war nirgends zu sehen, aber Lina stand ganz allein am Ziegengehege und hielt Flocke einen Grashalm hin. Ihren Elefanten hatte sie heute nicht dabei, und irgendwie kam sie mir ein bisschen verloren vor.

„Hallo Lina“, sagte ich. „Na, wie geht's?“

„Gut“, sagte Lina und lächelte mich schüchtern an. „Ich kann schon meinen Namen schreiben.“

„Toll“, sagte ich. „Und ich schreibe bald für unsere neue Schülerzeitung. Wenn du Lust hast, mache ich mit dir ein Interview.“

Lina sah mich neugierig an. „Was ist ein Interview?“, fragte sie.

„Warte hier!“, sagte ich. Ich raste hoch, um einen Stift und ein Blatt Papier aus dem Klassenzimmer zu holen. Dann raste ich wieder runter, setzte mich mit Lina auf eine Bank und sagte: „Ich stelle dir Fragen, und du antwortest. Das ist dann ein Interview. Wenn

wir Glück haben, finden wir etwas Außergewöhnliches über dich heraus. Dann bist du wichtig und kommst in die Zeitung. Bist du bereit?"

Lina nickte etwas verwirrt, und ich legte los.

Interview mit Lina

Ich: Wie heißt du?
Lina: Lina Müller.
Ich: Wie alt bist du?
Lina: Sechs.
Ich: Was arbeiten deine Eltern?
Lina: Mein Papa arbeitet im Büro, und meine Mama verkauft Blumen.
Ich: Waren deine Eltern schon mal im Gefängnis?
Lina: Nein.
Ich: Hattest du schon mal eine außergewöhnliche Krankheit?
Lina: Ich hatte Masern, und manchmal hab ich Schnupfen.
Ich: Kannst du etwas Außergewöhnliches?
Lina: Ich kann meinen Namen schreiben!
Ich: Das kann jedes Schulkind. Kannst du etwas besonders Außergewöhnliches?
Lina: Ich kann Purzelbaum rückwärts.

Ich seufzte und beschloss, das Interview an dieser Stelle abzubrechen.

„Komme ich jetzt in die Zeitung?“, fragte Lina, als ich den Zettel zusammengefaltet hatte.

„Mal gucken“, sagte ich, obwohl ich im Grunde nicht daran glaubte. Ein Bürovater, eine Blumenmutter, Masern und Purzelbäume klangen nun wirklich nicht besonders außergewöhnlich. So was wäre vielleicht gut für die letzte Seite oder für einen kleinen Text in der Mitte. Aber für die Titelseite war mein Patenkind ganz sicher nicht wichtig genug.

Irgendwie muss ich Flo von dem Thema Patenschaften abbringen, dachte ich verzweifelt. Ich wollte Lina zwar beschützen, und ich hatte auch Lust, mit ihr zu spielen. Aber darüber schreiben wollte ich nicht.

Ich nahm Lina an die Hand und sagte: „Komm, ich zeig dir, wie man die Ziegen füttert. Ich hab Äpfel dabei, die mögen sie viel lieber als Gras.“

Lina war ganz begeistert, und als Flocke ihr den Apfelschnitz aus der Hand fraß, strahlte sie mich so glücklich an, dass mir wieder richtig warm ums Herz wurde. Ich führte Lina noch ein bisschen auf dem Schulhof herum und zeigte ihr den Gemüsegarten

und das Gartenhäuschen und die Stelle, an der Flo, Frederike und ich im letzten Schuljahr die kranke Katze gefunden hatten.

Plötzlich kam Flo angerast. „Lola, komm, komm!", schrie sie ganz aufgeregt. „Mein Patenkind wird verkloppt, komm, du musst mir helfen!"

Ich raste hinter Flo her, bis zur Kampfbrücke. Die Kampfbrücke ist ein Wackelding, auf dem immer zwei Kinder aufeinander zugehen und miteinander ringen, bis einer von ihnen runterfällt. Jetzt stand eine ganze Gruppe von Kindern davor, und als ich mich mit Flo an ihnen vorbeidrängte, sah ich Sol, Jonas und Ansumana. Sie hielten den kleinen Moritz fest, der wie am Spieß brüllte.

„Seid ihr verrückt geworden?", kreischte Flo. „Drei Viertklässler gegen meinen Kleinen, ihr habt sie ja wohl nicht mehr alle!"

Ohne Moritz loszulassen, drehte Sol sich zu uns um. „Pah!", schnauzte er. „Dein Kleiner, dass ich nicht lache! Kannst ja mal nachgucken, womit das blonde Engelchen auf mich losgehen wollte!"

Sol hielt Flo seine geöffnete Hand hin, und mir blieb vor Schreck der Mund offen stehen. In Sols Hand lag … ein Taschenmesser!

Flo starrte Moritz an. „Gehört das wirklich dir?"

Moritz hatte mit Brüllen aufgehört. Angriffslustig blitzte er Flo an. „Was dagegen?“, fragte er. „Ist doch schließlich eine Kampfbrücke, oder?“

Flo war ganz stumm, und die anderen Kinder redeten aufgeregt durcheinander.

„Was ist denn hier los?“, ertönte da eine männliche Stimme. Herr Koppenrat, unser Mathelehrer, hatte sich an den Kindern vorbeigedrängt. Als Sol ihm das Messer hinhielt, schnappte er nach Luft. „Wem gehört das?“, fragte er streng.

Niemand sagte etwas. Moritz hatte sich neben Flo gestellt und lächelte das süßeste Engelslächeln.

Sol sah zu Flo, aber die starrte auf den Boden, biss sich auf die Lippen und schwieg.

„Das Messer gehört Moritz“, sagte ich an ihrer Stelle. Das Blut schoss mir in den Kopf, und mir wurde vor Scham ganz heiß. Man soll nicht petzen, aber mit einem Messer auf ein anderes Kind loszugehen, das war kein Spaß.

Herr Koppenrat beschlagnahmte das Messer und

griff Moritz am Jackenärmel. „Dann komm mal schön mit“, sagte er.

Moritz ließ sich von ihm mitziehen, aber im Weggehen drehte er sich zu uns um und streckte mir die Zunge raus.

Tja. Das war also die schlechte Überraschung. Damit hatte nun wirklich keiner von uns gerechnet.

Während ich in der zweiten Pause mit Lina Hüpfkästen auf den Schulhof malte, stand Flo daneben und starrte unglücklich vor sich hin. Ich ließ sie in Ruhe, weil ich genau wusste, wie sie sich fühlte. Flo hatte sich so sehr auf ihr Patenkind gefreut, fast noch mehr als ich, und die ganze Zeit hatte sie Boxen geübt, weil sie eine gute Beschützerin sein wollte. Und dann kam so was!

Aber Opa sagt immer, im Schlechten muss man auch das Gute sehen – und das Gute war in diesem Fall mein Glück in Flos Unglück. Nach dem, was in der ersten Pause passiert war, wollte sie nämlich nicht mehr über die Patenschaften schreiben.

„Ich mach mit dir die Titelseite“, sagte sie auf dem Nachhauseweg. „Aber dann müssen wir auch wirklich das wichtigste Thema finden. Oder wenigstens einen wichtigen Menschen für ein Interview.“

Mein Herz hüpfte. „Das kriegen wir hin!“, sagte ich

und legte meiner besten Freundin den Arm um die Schulter.

Auf der anderen Straßenseite ging Moritz. Die anderen Erstklässler wurden noch von ihren Eltern abgeholt, aber Moritz ging allein. Als er uns sah, streckte er mir wieder die Zunge raus. Flo dagegen schenkte er ein Lächeln, als ob nichts gewesen wäre.

„Tschüss, Patentante", sagte er. „Bis Montag."

Flo gab keine Antwort, aber als wir uns an der Ampel verabschiedeten, hatte sich ihre Laune ein wenig gebessert. „Dann muss ich Moritz eben auf eine andere Art beschützen", seufzte sie.

Ich nickte ihr aufmunternd zu. Aber tauschen wollte ich mit ihr nicht, das muss ich ehrlich zugeben.

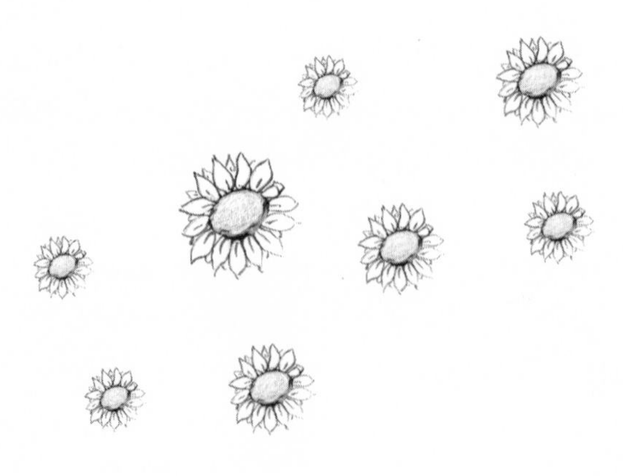

7. WIR SUCHEN WICHTIGE MENSCHEN UND VERLIEREN TANTE LISBETH

„Wo findet man eigentlich wichtige Menschen?“, fragte ich am nächsten Morgen beim Frühstück. Es war Samstag, und da frühstücken wir immer bei Oma und Opa. Die wohnen eine Etage über uns, was ich ziemlich praktisch finde. Man kann einfach im Schlafanzug durchs Haus schlurfen, und oben erwartet uns dann Opas Spezialfrühstück.

Es gibt Spiegeleier und Speck und warmen Kakao, und Tante Lisbeth darf mit grünen Weintrauben werfen. Oma findet zwar, mit Essen wirft man nicht, aber darum hat sich Tante Lisbeth nie gekümmert. Früher hat sie meist mit Spinat und Frikadellen geworfen und einmal sogar mit einer vollen Tasse heißer Honigmilch. Dafür hat Oma ihr einen Klaps auf die Hand gegeben.

Jetzt haben sich die beiden auf Weintrauben ge-

einigt. Die wirft uns Tante Lisbeth jeden Samstag auf den Teller. Eine Weintraube für Oma, eine Weintraube für Opa, eine Weintraube für Mama, eine Weintraube für Papai, eine Weintraube für Lola und eine Weintraube für Tante Lisbeth. Das ist die einzige Weintraube, die meine Tante dann nicht wirft, sondern isst. Und dann geht das Spiel von vorne los.

„Was willst du denn mit wichtigen Menschen?“, erwiderte Papai auf meine Frage, während er sich sieben Speckstreifen auf den Teller häufte.

„Interviews machen“, erklärte ich. „Flo und ich schreiben doch jetzt für die Schülerzeitung.“

„Und warum müssen es wichtige Menschen sein?“, fragte Mama.

„Na, weil Menschen wie ihr zu unwichtig sind“, sagte ich.

„Ich muss doch sehr bitten!“, rief Oma empört.

„Na ja, so meine ich das doch nicht“, sagte ich schnell. „Ich meinte nur, für ein Schülerzeitungsinterview seid ihr nicht außergewöhnlich genug!“

„Also, ich finde mich sehr außergewöhnlich“, sagte Oma.

„Na gut“, sagte ich. „Dann mache ich jetzt ein Interview mit dir. Dann werden wir ja sehen!“

Ich raste runter, schnappte meinen Kassettenrekor-

der, raste wieder hoch, stellte den Kassettenrekorder auf den Frühstückstisch, drückte auf Aufnahme und legte los.

Interview mit Oma

Ich: Wie heißen Sie?
Oma: Aurelia Jungherz.
Ich: Wie alt sind Sie?
Oma: 47 Jahre jung.
Ich: Was arbeiten Sie?
Oma: Ich bin einfache Großmutter, zweifache Mutter, und dreimal in der Woche arbeite ich in einem Buchladen.
Ich: Können Sie Karate?
Oma: KARATE? Nein!
Ich: Fahren Sie im Hühnerstall Motorrad?
Oma: Red nicht so einen Unsinn, Lola. Natürlich nicht!
Ich: Waren Sie schon einmal auf dem Mars, kennen Sie Feen in Coladosen, oder hatten Sie schon einmal eine tödliche Seuche?
Oma: Himmelherrgott, was sind denn das für Fragen?! Nein, nein und nochmals nein!
Ich: Sehen Sie, Frau Jungherz. Sie haben nichts Au-

ßergewöhnliches zu bieten. Und deshalb sind Sie auch leider nicht wichtig genug für unsere Schülerzeitung. Trotzdem vielen Dank für das Interview.

Oma war beleidigt. Aber Papai und Opa lachten, bis ihnen die Tränen runterliefen. Tante Lisbeth krähte: „Okolaaaaate!", wahrscheinlich, weil sie an ihr eigenes Interview auf unserer Bühne denken musste. Und Mama sagte: „Ich kenne eine Geschichte von einem Mann, der hatte sieben Jahre Schluckauf. Das fand ich sehr außergewöhnlich. Warum schreibst du nicht über so was, Lolamaus?"

„Schluckauf ist ja wohl SUPER langweilig!", brummte ich. „Ihr versteht mich einfach nicht! Wir brauchen was richtig Außergewöhnliches. Popstars oder Verbrecher, oder … oder so was wie den Wasserpistolenbanditen zum Beispiel."

„Um den zu interviewen, müsste man ihn erst mal schnappen", schimpfte Oma. „Gestern stand in der Zeitung, dass der Kerl in einem Wollladen eine alte Dame überfallen hat. 300 Euro hat er eingesackt und dann auch noch die teure Kaschmirwolle nass gespritzt. Es ist eine ganz unglaubliche Geschichte!"

„Genau", sagte ich. „Genau so was brauchen wir für unsere Schülerzeitung auch."

„Na, dann viel Spaß beim Suchen“, grinste Opa.

Und dann klingelte das Telefon. Flo war dran. Sie hatte sich beim Frühstück mit Penelope genau dieselben Gedanken gemacht und schlug vor, nachmittags zum Hafen zu gehen. Der ist direkt gegenüber von der *Perle des Südens*.

„Da laufen schließlich alle möglichen Leute rum“, sagte Flo. „Vielleicht kommt ein Schiff mit Seeräubern! Oder wir sehen an Land ein paar wichtige Menschen, die wir interviewen können. Oder wer weiß, vielleicht passiert sogar ein aufregendes Ereignis!“

Ich war von Flos Idee begeistert, aber Oma zog die Augenbrauen hoch. „Eigentlich wollte ich euch bitten, heute Nachmittag auf Tante Lisbeth aufzupassen“, sagte sie, als ich zurück zum Frühstückstisch kam.

„Wir können sie doch mitnehmen“, schlug ich vor.

Oma sah Opa an. „Also, ich weiß nicht“, sagte sie besorgt.

„Ach Oma!“, sagte ich. „Flo und ich gehen jetzt in die vierte Klasse und haben sogar Patenkinder. Da werden wir doch wohl auf Tante Lisbeth aufpassen können. Außerdem hast du selbst gesagt, man kann nie früh genug anfangen mit der Verantwortung.“

Da musste Opa lachen, und Oma sagte Ja.

Nachdem ich ihr hoch und heilig versprochen hatte, Tante Lisbeth nicht aus den Augen zu lassen, fuhr Oma mit Mama in die Stadt zum Einkaufen. Papai und Opa nahmen mich mit in die *Perle des Südens*, wo Flo und ich uns für drei Uhr verabredet hatten. „Um fünf seid ihr zurück“, sagte Opa. „Und passt gut auf, hört ihr?“

„Wir gehen jetzt wichtige Menschen suchen, Tante Lisbeth“, sagte ich, als wir zu dritt zum Hafen zogen. „Na, wie findest du das?“

„Eil!“, sagte Tante Lisbeth. Sie trug ihr neues Kleid, das Penelope ihr geschenkt hatte. Es war hellblau, und darauf gestickt waren lauter weiße Katzentatzen.

„Eil sagt man nicht!“, verbesserte Flo. „Das heißt GEIL, Tante Lisbeth. GEIL. GEIL. GEIL. Verstehst du?“

Tante Lisbeth strahlte uns an und nickte. „Eil!“

Flo seufzte. „Ich finde, deine Tante ist langsam alt genug, um sich richtig auszudrücken“, sagte sie.

Dann setzten wir uns auf die Hafenmauer und hielten Ausschau nach wichtigen Menschen. Flo hatte ihr Notizbuch und einen Stift mitgenommen, damit wir unsere Beobachtungen aufschreiben konnten. Auf unsere Liste schrieben wir einen

einarmigen Mann, zwei Betrunkene, eine Frau mit vier Pudeln und acht Japaner mit acht Fotoapparaten. Aber für ein Interview fanden wir sie alle nicht wichtig genug, und ein aufregendes Ereignis sahen wir auch nicht.

Nach einer guten halben Stunde wurde es Tante Lisbeth langweilig.

„Iff", sagte sie jetzt schon zum zwanzigsten Mal. Sie zeigte auf die Rickmer Rickmers, die direkt vor uns am Hafen lag.

„Die Rickmer Rickmers ist ein SCHIFF, Tante Lisbeth", sagte Flo.

„Iff", wiederholte Tante Lisbeth. „Ola und O mit Ibsel Iff gehn!"

Flo steckte ihr Notizbuch ein und nickte. „Also gut. O und Ola gehen jetzt mit Ibsel aufs Iff. Vielleicht entdecken wir da ja ein paar wichtige Menschen. Schließlich ist die Rickmer Rickmers berühmt. Warum sollten da nicht auch berühmte Menschen sein?"

Flo hatte Recht. Die Rickmer Rickmers ist ein sehr berühmtes Schiff und hat für Flo und mich sogar noch eine ganz besondere Bedeutung. Im letzten

Schuljahr hat Flo ganz oben am Schiffsmast meinen Luftballon gefunden. Daran hing ein Zettel, auf den hatte ich geschrieben, dass ich mir eine beste Freundin wünschte. Und dieser Wunsch ist dann auch in Erfüllung gegangen.

Als ich an diesem Samstag mit Tante Lisbeth und meiner besten Freundin auf die Rickmer Rickmers ging, wünschte ich mir einen wichtigen Menschen oder zumindest ein aufregendes Ereignis.

Aber auf der Rickmer Rickmers waren fast nur Familien mit Kindern, und an der Reling standen die acht Japaner und knipsten mit ihren acht Fotoapparaten herum.

Flo und ich seufzten. Nur Tante Lisbeth war begeistert. Sie stand am Steuer der Rickmer Rickmers und kreischte vor Vergnügen.

„Komm, Tante Lisbeth", sagte ich schließlich. „Wir gehen zurück ins Restaurant. Es ist gleich Viertel vor fünf, und wir haben versprochen, dass wir pünktlich sind."

Aber Tante Lisbeth wollte nicht, und plötzlich stieß Flo mich in die Seite. „Ich hab eine Idee", sagte sie. „Wir klettern am Schiffsmast hoch. Von da oben hat man den coolsten Ausblick, da sieht man einfach alles!"

Meine Kopfhaut fing schon wieder an zu jucken. Aber was sollten wir mit Tante Lisbeth machen? „Die können wir doch nicht einfach mitnehmen“, sagte ich.

Flo kniete sich zu Tante Lisbeth und hielt sie fest an den Armen. „Jetzt hör mal gut zu“, sagte sie eindringlich. „Ola und O klettern jetzt ganz kurz ganz nach oben auf den Mast. Und Ibsel wartet schön brav hier unten am Steuer. Verstanden?“

Tante Lisbeth nickte. „Ibsel atet!“, sagte sie und krallte sich am Steuer fest.

Ich zögerte, aber Flo gab mir einen Schubs. „Komm schon, Lola. Von da oben haben wir deine Tante doch im Auge. Außerdem klebt sie seit einer halben Stunde am Steuer, da läuft sie in den nächsten fünf Minuten bestimmt auch nicht weg. Nun los, komm schon.“

Da drehte ich mich um und kletterte hinter Flo die Strickleiter hoch – bis ganz nach oben zum Mast.

Flo hatte Recht.

Es war einfach herrlich hier oben. Man konnte fast bis nach Afrika schauen, genau wie Flo es damals

beschrieben hatte. Und die Leute auf dem Schiff waren plötzlich winzig klein. Deshalb konnten wir auch niemand Wichtigen entdecken, aber das war mir in diesem Moment ganz egal. Ich fühlte mich wie Sindbad, der Herrscher der sieben Meere.

„Dahinten ist die *Perle des Südens*“, rief Flo und zeigte nach rechts zu den Häusern. Und dort unten ist …“

Weiter kam sie nicht. Weil unter uns plötzlich eine Frau auftauchte. Sie sah zu uns hoch und kreischte: „RUNTER DA OBEN! KOMMT **SOFORT** DA RUNTER!“

Ich schluckte, und Flo sah mich betreten an. „Oje. Ich glaube, die kenne ich!“

Woher Flo die Frau da unten kannte, konnte ich mir bereits denken, und als wir wieder am Boden standen, kannte die Frau auch Flo.

„Hab ich dich nicht schon einmal hier oben gesehen?“, schimpfte sie außer sich vor Wut. „Wisst ihr eigentlich, wie gefährlich das ist? Wenn ich euch noch einmal erwische, dann rufe ich die Polizei …“

Während die Frau weiter und weiter schimpfte, sah ich zum Steuer zu Tante Lisbeth.

Aber Tante Lisbeth stand nicht mehr am Steuer.

Sie stand auch nicht an der Reling oder bei den

Schiffstauen oder vorne am Eingang oder hinten an der kleinen Kapitänsfigur aus Stein. Sie stand nirgendwo, nirgendwo, nirgendwo, und ich fing so laut an zu schreien, dass die schimpfende Frau einen Satz zurück machte.

„TANTE LIIIIISBETH", schrie ich. Und dann fing ich an zu weinen.

Die Leute auf dem Schiff sahen sich erschrocken zu uns um.

„Na, na, na", sagte die Frau, die jetzt mit Schimpfen aufgehört hatte. „Wie sieht denn deine Tante aus?"

„Sie ist sehr, sehr klein", heulte ich, „und sie trägt ein blaues Kleidchen mit Katzentatzen, und um den Hals hat sie einen Schnuller."

Die Frau runzelte die Stirn. „Deine Tante trägt ein blaues Kleidchen mit Katzentatzen und hat einen Schnuller um den Hals? Wollt ihr mich veräppeln? Jetzt reicht es aber langsam, ich …"

Aber ich beachtete sie gar nicht. Ich riss Flo am Ärmel und zog sie hinter mir her über die Rickmer Rickmers. In der Mitte des Schiffes war eine Treppe, die rasten wir runter und riefen so laut und so oft nach meiner Tante, bis wir vor Heiserkeit keinen Pieps mehr hervorbekamen.

Wir suchten überall: an Deck bei den Masten, im riesigen Schiffsbauch, wo in lauter Glaskästen kleine Modellschiffe ausgestellt waren, in den Mannschaftsräumen, die eingerichtet waren wie in früheren Zeiten, im Restaurant, wo alte Damen Kuchen aßen, im Raum mit den Tauen und Waffen, in den Toiletten und in allen Gängen und Winkeln. Die Rickmer Rickmers hat viele Gänge und noch mehr Winkel. In einem Winkel war ein Geländer vor einem tiefen Loch. In dem Loch glitzerten tausende von Münzen, Cents und Pfennigen, die Besucher nach unten geworfen hatten. Vor dem Geländer stand ein kleines Mädchen und kreischte wie am Spieß, weil seine Oma ihm kein Geld mehr geben wollte. Das Mädchen war so klein wie Tante Lisbeth, und ich dachte, wenn wir sie nicht auf der Stelle finden, sterbe ich an Verzweiflung.

Dann zog mich Flo zum Maschinenraum.

Und dort fanden wir Tante Lisbeth.

Sie stand ganz hinten an einer riesigen Maschine mit roten Hebeln und blauen Schaltern. Um sie herum dröhnte und hämmerte und tutete es, und Tante Lisbeth war allerbester Laune. „Iff", sagte sie. „Iff macht uuuuut!"

Ich stürzte auf meine Tante zu und drückte sie so

fest an mich, wie ich nur konnte, und dabei liefen mir die Tränen wie Sturzbäche an den Wangen herunter.

Als wir mit Tante Lisbeth fest an beiden Händen das Schiff verließen, war Flo plötzlich sehr dankbar darüber, dass sich meine Tante noch nicht richtig ausdrücken konnte. „Wenn deine Oma wüsste, was passiert ist, wäre sie wahrscheinlich ziemlich böse, was?“

Ja, das wäre sie, dachte ich. Deshalb konnten wir über dieses aufregende Ereignis natürlich auch nicht für die Schülerzeitung schreiben. Obwohl wir damit bestimmt auf die Titelseite gekommen wären. Aber die hätte dann auch Oma gelesen, und das war mir die ganze Sache nicht wert.

Als wir in die *Perle des Südens* kamen, war es fast halb sechs. An dem Tisch am Fenster saß wieder die blonde Frau, die aussah wie ein Popstar. Opa servierte ihr gerade eine Tasse Kaffee, und Oma kam uns aufgeregt entgegengelaufen. „Ich hab mir schon Sorgen gemacht“, sagte sie vorwurfsvoll.

Dann nahm sie Tante Lisbeth auf den Arm. „Na, mein Schatz, wie war es mit den großen Mädchen am Hafen?“

Tante Lisbeth klatschte in die Hände und sagte: „Geil!“

8.

MORITZ MACHT ÄRGER, UND ICH ÄRGERE MICH ÜBER SOL

Auf kleine Tanten aufzupassen, ist eine Sache. Auf Patenkinder aufzupassen, ist eine andere Sache. Auf Patenkinder wie Moritz Schlüter aufzupassen, ist eine völlig andere Sache.

Dass ihr blonder Lockenkopf kein Engel war, hatte Flo ja schon am letzten Freitag festgestellt. Aber in der Woche darauf legte Moritz erst richtig los und hielt die arme Flo derart in Atem, dass ihr kaum noch Zeit blieb, mit mir über wichtige Themen für die Titelseite nachzudenken.

Am Montag biss Moritz einen Jungen aus der 4c in die Hand, weil der ihn nicht mit Fußballspielen lassen wollte.

Am Dienstag saß er oben auf dem Klettergerüst und bespuckte alle, die in seine Nähe kamen, mit Kirschkernen. Flo war die Einzige, die er zu sich

hoch ließ, und nachdem sie eine Weile auf ihn eingeredet hatte, hörte er tatsächlich auf zu spucken und kämpfte mit ihr auf der Wackelbrücke.

Am Mittwoch bestrich er dafür die Schulhofschaukel mit Sekundenkleber – was Flo leider erst bemerkte, als es zu spät war. Gwendolin aus der 1c hatte sich auf die Schaukel gesetzt, und als sie abspringen wollte, klebte sie mit ihrer Hose fest. Um von der Schaukel zu kommen, musste Gwendolin ihre Hose ausziehen, was ihr natürlich entsetzlich peinlich war. Moritz stand neben der Schaukel und schlug sich vor Lachen auf die Schenkel. Die leere Tube mit Sekundenkleber hielt er noch in der Hand. Diesmal war es Flo, die ihn zum Schuldirektor schleifte.

Am Donnerstag hatte Moritz Pausenverbot, und Flo spielte mit Lina und mir Verstecken. Lina war nicht so gut im Suchen, aber verstecken konnte sie sich fast so gut wie Tante Lisbeth. In der zweiten Pause suchten wir bestimmt eine Viertelstunde nach ihr, bis wir sie schließlich in Flocke und Tupfers Ziegenhaus fanden.

„Da darfst du aber nicht rein“, sagte ich. Ins Ziegengehege darf man nämlich nur, wenn man Ziegen-

dienst hat, aber schließlich war Lina ja noch ganz neu an der Schule und konnte noch nicht alle Regeln kennen.

Am Freitag hatten wir dann endlich wieder Wahlpflichtkurs, und Olaf Wildenhaus erkundigte sich, welche Themen uns für die Schülerzeitung eingefallen waren. Einige wussten schon ganz genau, worüber sie schreiben wollten. Die anderen sollten Gruppen bilden und während des Unterrichts darüber nachdenken. Olaf Wildenhaus ging herum, gab Ratschläge oder beantwortete Fragen.

Nach und nach wanderten die festgelegten Themengruppen an die Tafel: Annalisa wollte mit zwei Mädchen aus der 4c über wichtige Berufe schreiben.

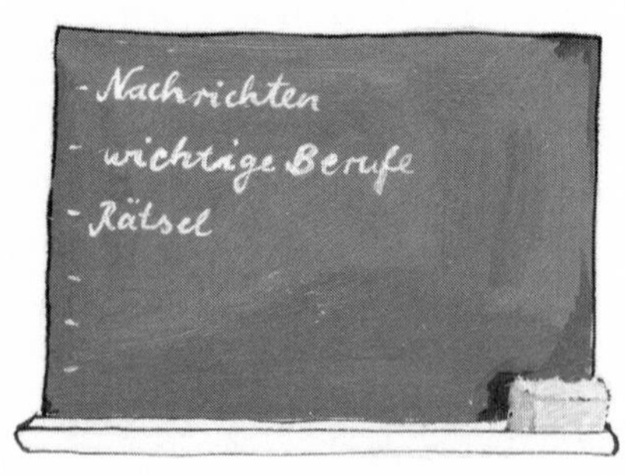

Tom und Dimitris entschieden sich für „Nachrichten aus dem All", Frederike und Jonas für einen Tierforscherbericht über unsere Ziegen und Sila und Riekje für eine Rätselseite. Ansumana und Sol wollten eine Witzeseite machen und die Kussmaschine Fotos von nackten Frauen. Das wollte Olaf Wildenhaus aber nicht, worüber die Kussmaschine ziemlich sauer war.

„In der Zeitung von meinem Vater sind auch immer nackte Frauen“, schimpfte er, aber Olaf Wildenhaus blieb hart.

„Dann schreibe ich Liebesgedichte“, brummte die Kussmaschine, und Olaf Wildenhaus sagte, das wäre doch ganz wunderbar.

Drei Kinder aus der 4c, die mit Flo und mir am Gruppentisch saßen, konnten sich noch nicht auf ein Thema einigen. „Dann lasst euch bis nächste Woche Zeit“, sagte Olaf Wildenhaus. „Und was ist mit euch?“ Er sah zu Flo und mir. „Habt ihr ein Thema, oder braucht ihr Hilfe?“

„Wir nehmen die Titelseite“, sagten Flo und ich wie aus einem Mund.

Olaf Wildenhaus sah aus, als müsste er sich ein Lachen verkneifen. „Die Titelseite, aha. Na, das klingt ja viel versprechend. Und an welches Thema habt ihr dabei gedacht?“

„Wir sind da so einigen aufregenden Ereignissen auf der Spur“, sagte ich vorsichtig. Das war natürlich ein bisschen gelogen, aber was nicht war, konnte ja noch kommen! Sicherheitshalber fügte ich hinzu: „Vielleicht machen wir auch ein Interview mit einem Popstar oder mit dem Wasserpistolenbanditen. Obwohl man den natürlich erst mal schnappen müsste.“

Flo verdrehte die Augen, und Sol, der hinter uns saß, grölte los. „Lola und Flo machen ein Interview mit dem Wasserpistolenbanditen! Das ist der beste Witz, den ich je gehört habe!“, kreischte er. „Der kommt ganz nach vorn auf meine Witzeseite!“

Mir stieg vor Wut das Blut in den Kopf, vor allem, als ich sah, dass Olaf Wildenhaus jetzt wirklich das Lachen kaum noch zurückhalten konnte.

„Auf ein Interview mit dem Wasserpistolenbanditen würde ich mich an eurer Stelle nicht verlassen. Warum interviewt ihr nicht einfach ein paar Lehrer oder schreibt etwas über eure Patenkinder? Das wäre doch ein tolles Thema für die Schülerzeitung.“

Ich sah Flo an, und Flo sah mich an, und dann schüttelten wir beide den Kopf. „Wir hätten wirklich gerne etwas Außergewöhnliches“, sagte Flo nachdrücklich. „Lolas Patenkind ist zwar ganz süß, aber leider nicht wichtig genug. Und mein Patenkind macht mir ohnehin schon jede Menge Ärger. Darüber will ich nicht auch noch in der Zeitung schreiben.“

Olaf Wildenhaus grinste, und dann sagte er dasselbe wie Opa: „Na, dann wünsche ich euch viel Spaß beim Suchen.“

9.

EIN FREMDER MANN IM SCHWARZEN MANTEL

Oma sagt immer, wer suchet, der findet. Aber ich sage euch: Es ist ziemlich schwierig, nach aufregenden Ereignissen oder wichtigen Menschen zu suchen, wenn man die eine Hälfte des Tages in der Schule sitzen muss und die andere Hälfte des Tages mit Schularbeiten für den nächsten Tag beschäftigt ist. In der vierten Klasse hat man nämlich nicht nur Wahlpflichtkurse und Patenkinder, sondern auch jede Menge Arbeit. Frau Wiegelmann gab uns Massen an Hausaufgaben auf, und Herr Koppenrat schrieb fast jede Woche einen Mathetest.

Und in den Pausen waren Flo und ich meist mit Lina und Moritz zusammen. Die meisten anderen Kinder aus meiner Klasse hatten mit ihren Patenkindern gar nicht mehr so viel zu tun. Manchmal schlichteten sie Streit, manchmal spielten sie mit ihnen Eis-Ticken,

und manchmal durften uns die Patenkinder im Klassenraum besuchen. Aber ansonsten waren meine Klassenkameraden wohl lieber unter sich.

Flo dagegen hatte ziemlich viel mit ihrem Moritz zu tun. In seiner Klasse schien er keine Freunde zu haben. Wie auch, wenn man die anderen ständig ärgert. Aber an Flo hing er, und manchmal dachte ich, dass sie die Einzige war, von der sich Moritz etwas sagen ließ.

Lina machte nie Ärger. Jede Pause kam sie strahlend auf mich zugelaufen, um mir zu zeigen, welche neuen Wörter sie schreiben konnte, oder um mich nach einem Apfelschnitz für die Ziegen zu fragen – und letzte Woche hatte sie mir sogar ein Bild gemalt. Darauf war ein kleines Strichmännchen mit schwarzen Teufelszöpfen und einer bunten Brille, und daneben war ein großes Strichmännchen mit blonden Kringelhaaren und riesigen Händen. Blonde Kringelhaare habe ich wirklich, aber meine Hände sind eigentlich eher klein. Keine Ahnung, warum Lina die so groß gemalt hat. Trotzdem fand ich das Bild wunderschön und hängte es in meinem Zimmer auf.

Wie die meisten Erstklässler wurde Lina noch jeden Mittag von ihrer Mutter abgeholt. „Das ist Lola Veloso, meine Patin aus der 4b“, stellte sie mich

gleich am zweiten Schultag vor. Linas Mutter hatte auch eine bunte runde Brille, und sie trug immer Blumenkleider, das fand ich lustig, weil sie ja auch Blumen verkauft.

Flos Patenkind wurde nie von der Schule abgeholt. Moritz ging immer allein nach Hause, und einmal wäre er fast von einem Radfahrer umgefahren worden, weil er nicht richtig geguckt hatte. Flo hielt ihn im letzten Moment am Kragen fest. Das war an einem Donnerstag. Am Freitag hatten wir dann wieder Wahlpflichtkurs, und Olaf Wildenhaus sprach mit uns über SCHLAGZEILEN.

SCHLAGZEILEN sind Überschriften für besonders wichtige Themen. Olaf Wildenhaus sagte, SCHLAGZEILEN müssen so neugierig machen, dass alle Leute die Zeitung kaufen wollen.

„Manchmal übertreiben SCHLAGZEILEN auch", erklärte er und zeigte uns die Titelseite einer Zeitung. **„DIE MÖRDERMÜCKEN GREIFEN AN"**, stand da in großen roten Buchstaben. Aber im Text stand dann nur, dass es in Hamburg gerade viele Mücken gab, die möglicherweise Krankheiten übertragen konnten, und dass am letzten Dienstag eine achtzigjährige Frau an der Grippe gestorben war.

In der Pause überlegte ich fieberhaft, welche

SCHLAGZEILEN Flo und ich für unsere Titelseite schreiben würden.

„Für eine gute Schlagzeile brauchen wir erst mal ein gutes Thema", sagte Flo. Da hatte sie natürlich Recht. Die drei Kinder aus der 4c hatten sich inzwischen auf ein Thema geeinigt: Sie wollten eine Fotoreportage über die anderen Wahlpflichtkurse machen. Die übrigen Kinder aus unserem Kurs hatten schon mit ihren Themen angefangen. Annalisa und die beiden Mädchen aus der 4a waren in der letzten Pause bei Herrn Maus gewesen, weil sie etwas über seinen Beruf als Schuldirektor schreiben wollten. Frederike und Jonas hockten jede Pause im Ziegengehege, und Sol und Ansumana erzählten den ganzen Tag Witze.

„Kennste den schon?", flüsterte Sol in der Mathestunde. „Fritzchen erzählt seiner Mutter, dass er sich heute als Einziger im Matheunterricht gemeldet hat. ‚Das ist ja toll', freut sich Fritzchens Mutter. ‚Und was hat der Lehrer gefragt?' Fritzchen sagt: ‚Der Lehrer hat gefragt, wer seine Hausaufgaben nicht gemacht hat.'"

„Sehr witzig", sagte ich, und dann bekam ich Schimpfe von Herrn Koppenrat, weil ich zu laut gesprochen hatte.

In der Pause sagte ich Lina, dass sie heute mal allein spielen sollte, weil ich mit Flo nach einem

Thema für die Titelseite suchen musste. In der Hoffnung auf irgendein aufregendes Ereignis schlichen wir über den Schulhof. Aber das Einzige, was geschah, war, dass Moritz Frau Wiegelmann einen Fußball an den Kopf schoss, und darüber wollte Flo natürlich nichts schreiben.

Doch nach der Schule passierte dann das Ereignis mit dem fremden Mann. Als Flo und ich aus dem Seitenausgang kamen, fiel er mir auf. Er war groß und dünn und stand direkt neben dem Haupteingang. Große dünne Männer gibt es natürlich oft, aber dieser Mann trug einen langen schwarzen Mantel und rauchte eine Zigarre und starrte dabei die ganze Zeit auf die Eingangstür. Ich hatte ihn noch nie vor der Schule gesehen und stieß Flo an. „Guck mal, der! Sieht der nicht wie ein Verbrecher aus?"

Flo war plötzlich ganz aufgeregt. „Das ist bestimmt ein Kinderfänger, Lola", zischte sie. „Warum steht der sonst vor der Schule?"

Flo zog mich hinter eine Mülltonne, und meine

Kopfhaut fing wie verrückt zu kribbeln an. Wir beobachteten, wie die Kinder aus der Schule kamen, von ihren Müttern oder Vätern begrüßt wurden oder allein nach Hause gingen.

Der Mann im schwarzen Mantel stand die ganze Zeit da und rauchte seine Zigarre. Plötzlich hatte ich das Gefühl, dass ich einem entsetzlich aufregenden Thema auf der Spur war. Aber Angst hatte ich auch, denn mit Kinderfängern ist nicht zu spaßen. Die sprechen einen an und erzählen einem, dass sie zu Hause Kaninchen oder Babykatzen haben, und wenn man dann zu ihnen ins Auto steigt, ist es für immer vorbei.

Als ich kleiner war, hatte Mama immer furchtbare Angst, dass ich von einem Kinderfänger angesprochen werde, und ich musste ihr hoch und heilig versprechen, nie mit einem Fremden zu gehen, ganz egal, was er mir erzählen würde.

Inzwischen wurde es vor der Schule immer leerer, aber der fremde Mann stand immer noch da. Ich stopfte mir vor lauter Aufregung drei Hubba-Bubba-Kaugummis in den Mund. Und dann passierte es.

Lina kam aus der Eingangstür.

Und der fremde Mann drückte seine Zigarre mit seinem schwarzen Schuh aus und ging auf sie zu.

Sein langer schwarzer Mantel wehte im Wind.

Der Mann ging auf Lina zu und sprach sie an.

Das Herz schlug mir bis zum Hals.

Flos Fingernägel bohrten sich in meinen Arm.

Wir beobachteten, wie der Mann Lina etwas fragte und wie Lina ihn anlächelte und nickte.

Und dann sahen wir, wie der große dünne Mann im schwarzen Mantel die kleine Lina an der Hand nahm.

Und sie zu seinem Auto führte.

Flo schnappte nach Luft, und mein Herz zog sich zusammen wie eine kleine harte Kugel. Meine Hände wurden schwitzig, und über meinen Rücken jagten Kälteschauer.

Und dann öffnete der Mann Lina die Autotür.

Und dann stieg Lina ein.

Und dann fing ich an zu schreien. Es kam einfach aus mir heraus und schrillte über die ganze Straße wie eine Polizeisirene.

„HIIIIIIIIIILFE!“, schrie ich. **„ZU HIILFE! EIN MÖRDER, EIN KINDERFÄNGER, HIIIIIIIIILFE!“**

Der große, dünne Mann sah sich erschrocken um, und Lina sprang aus dem Auto. Völlig verstört sah sie aus und kam mir winzig, winzig klein vor. Todes-

mutig raste ich auf sie zu und zerrte sie zu den Mülltonnen, wo noch Flo hockte, und dabei schrie ich immer weiter um Hilfe.

Eine Minute später war eine riesige Menschenmenge vor der Schule versammelt. Die Schulkinder und die Mütter waren zurückgelaufen. Lehrer kamen aus dem Schulgebäude, Autofahrer hatten angehalten, und sogar Herr Früchtenicht stand plötzlich vor mir.

Herr Früchtenicht ist unser Schulpolizist. Er geht immer durch unser Stadtviertel, und an manchen Tagen steht er vor der Schule und passt auf, dass die Kinder gut über die Straße kommen.

„Was ist passiert?“, fragte er aufgeregt und legte mir die Hand auf die Schulter. Ich hörte mit Schreien auf und konnte plötzlich nur noch krächzen. Lina stand mit blassem Gesicht neben mir und Flo. Der lange dünne Mann stand vor seinem Auto und starrte zu uns rüber.

„Ein Kinderfänger“, krächzte ich. „Da drüben.“ Ich zeigte zum Auto. „Er stand vor der Schule und wollte Lina entführen.“

Herr Früchtenicht folgte meinem Zeigefinger, und der fremde Mann machte ein ganz erschrockenes Gesicht.

Obwohl mir der Schrecken noch in allen Gliedern

saß, fühlte ich plötzlich, dass ich etwas Großartiges getan hatte. Ich hatte Lina gerettet. Das war mir fast noch wichtiger, als auf die Titelseite der Schülerzeitung zu kommen.

Dieses Gefühl dauerte genau zehn Sekunden.

In diesen zehn Sekunden starrte Herr Früchtenicht von dem Mann zu mir, und dann beugte er sich zu Lina herab, die bis jetzt noch kein einziges Wort gesagt hatte.

„Bist du Lina?“, fragte er. Lina nickte.

„Kennst du diesen Mann?“, fragte er.

Lina nickte wieder. Und dann sagte sie: „Das ist mein Opa.“

Da machte das großartige Gefühl in mir Puff, und ich fühlte mich so schrecklich wie noch nie in meinem Leben.

Herr Früchtenicht nahm Lina an die Hand und ging mit ihr zu dem Mann. Ich sah, wie sie miteinander sprachen, und dann sah ich, wie der Mann anfing zu lachen.

Und dann fingen auch die Mütter, die um ihn herumstanden, an zu lachen, und irgendwann lachten plötzlich alle.

Alle außer Flo und mir.

Der große, dünne Mann kam auf uns zu, zusam-

men mit Lina und dem Polizisten, und ich hätte mich am liebsten in Luft aufgelöst.

„Heißt du Lola Veloso?“, fragte der Mann.

Ich senkte den Kopf.

Der große dünne Mann streckte mir freundlich die Hand entgegen. „Dann siehst du ja wirklich genauso aus, wie Lina dich beschrieben hat. Ich heiße Oscar Müller und bin Linas Opa. Lina hat mir schon so viel von dir erzählt, und ich freue mich, dich kennen zu lernen. Es ist nämlich so, dass Linas Mama heute länger arbeiten muss und mich gebeten hat, die Kleine von der Schule abzuholen. Da hast du dir wahrscheinlich sonst was gedacht, hm? Aber du glaubst ja gar nicht, wie froh ich bin, dass Lina eine Patin hat, die so gut auf sie Acht gibt!“

Ich schluckte, und meine Hände schwitzten wie verrückt, aber diesmal nicht vor Angst, sondern vor Scham. Ich stand nur da und sagte kein Wort und wünschte mir, dass sich der Boden unter mir auftun und mich für immer verschlucken würde.

Als Mama mich mittags fragte, wie es in der Schule war, sagte ich nur „gut“ und verschwand den Rest des Tages in meinem Zimmer, obwohl draußen das schönste Wetter war. Flo rief auch nicht an, wahrscheinlich schämte sie sich genauso wie ich.

Aber abends im Bett erzählte ich Mama dann doch die ganze Geschichte. Da nahm Mama mich ganz fest in den Arm und flüsterte mir ins Ohr, dass sie sehr, sehr stolz auf mich wäre.

„Stell dir mal vor, Lolamaus", sagte sie zärtlich. „Stell dir mal vor, das wäre wirklich ein Kinderfänger gewesen. Wenn du dann nicht geschrien hättest, hätte am nächsten Tag in der Zeitung gestanden: *Vor der Schule wurde gestern ein kleines Mädchen entführt. Zwei große Kinder sahen den Verbrecher, aber sie trauten sich nicht zu rufen.*"

Das tröstete mich ein wenig. Und als ich am nächsten Morgen von meinen Klassenkameraden ausgelacht wurde, sagte Frau Wiegelmann etwas ganz Ähnliches. Sie sagte, es wären schon viele Verbrechen auf der Welt geschehen, nur weil die Zeugen zu feige waren, dem Opfer zu helfen.

„Was Lola getan hat", sagte sie, „war sehr mutig, und wer sie ärgert, bekommt es mit mir zu tun."

Da ließen mich die anderen in Ruhe. Nur Annalisa konnte es nicht lassen. „Na, Lola, da hast du ja jetzt ein richtig gutes Thema für die Titelseite, was?", sagte sie in der Pause. Und Sila und Riekje kicherten.

Ich sagte gar nichts. Aber ich würde mich bei Annalisa rächen. Das schwor ich mir.

10.

VERGEBLICHE RACHE

Die Gelegenheit zur Rache kam schneller, als ich dachte.

Eine Woche später schenkte mir Mama einen Fotoapparat.

„Weil ein echter Zeitungsreporter doch auch Fotos machen muss“, sagte sie. Es war zwar nur eine Wegwerfkamera mit 24 Bildern, aber ich fand es sehr, sehr lieb, dass Mama so an mich dachte.

Gleich am nächsten Tag nahm ich die Kamera mit zur Schule und machte in der ersten Pause zur Übung ein paar Fotos von Lina. Ihre Klasse hatte heute Kuscheltiertag, und Lina hatte wieder ihren Elefanten dabei. Der hieß Benjamin, aber wie Benjamin Blümchen sah er nicht aus, und sprechen konnte er natürlich auch nicht.

Lina hat übrigens kein bisschen darüber gelacht, dass ich ihren Opa für einen Kinderfänger gehalten

hatte. Sie sagte sogar: „Mein Opa fand es ganz lieb von dir, dass du mich vor ihm beschützen wolltest, und die Mama fand das auch."

Im Deutschunterricht fotografierte ich Frau Wiegelmann. Sie hatte von Moritz' Fußballschuss eine Beule am Kopf, und für einen Moment überlegte ich, ob ich Flo nicht doch überreden sollte, darüber etwas zu schreiben. Die Schlagzeile hätte lauten können: **DER KOPFSCHUSS UND DIE TODESBEULE**, und damit wären wir vielleicht tatsächlich auf die Titelseite gekommen. Olaf Wildenhaus hat ja selbst gesagt, dass man bei einer Schlagzeile ruhig ein bisschen übertreiben darf.

Aber Flo hätte es sicher nicht gewollt, weil wir dann auch hätten schreiben müssen, dass Moritz ihr Patenkind war.

Also hielt ich meinen Mund und verzog mich in der zweiten Pause mit Flo hinter das Gartenhäuschen, damit wir über die Titelseite sprechen konnten.

„Langsam müssen wir was finden", sagte ich. „Frederike und Jonas sind mit ihrem Ziegenartikel fertig, Annalisa will Herrn Früchtenicht interviewen, und Sol und Ansumana haben bestimmt schon hundert Witze zusammen."

„Stimmt", kicherte Flo. „Im Moment sind sie gerade

bei Scherzfragen: Was macht neunhundertneunundneunzig Mal Taps und einmal Tock?“

„Keine Ahnung“, sagte ich und biss in meinen Müsliriegel.

„Ein Tausendfüßler mit Holzbein“, sagte Flo.

„Haha.“

Flo stieß mich in die Seite. „Wieso, ist doch lustig! Warte mal, da war noch was Gutes … ach ja: Wie kriegt man einen Elefanten in einen Kühlschrank?“

Ich seufzte. „Weiß nicht. Wie denn?“

„Tür auf, Elefant rein, Tür zu.“

„Ich lach mich tot.“

Flo war nicht zu bremsen: „Und wie kriegt man ein Känguru in einen Kühlschrank?“

Ich pulte die Rosinen aus meinem Riegel, warf sie ins Gebüsch und sagte gelangweilt: „Tür auf, Känguru rein, Tür zu.“

„Falsch“, grinste Flo. „Tür auf, Elefant raus, Känguru rein, Tür zu. Das ist gut, was? Und wie kriegt man eine …“

„FLO“, schrie ich. „Willst du mit Sol und Ansumana die Witzeseite machen oder mit mir über ein wichtiges Titelthema nachdenken?!“

„Ja, ja, reg dich ab!“ Flo öffnete ihre Brotdose und schnupperte. „Mhm, lecker, Krabbenbrötchen. Ich

zerbreche mir ja auch schon die ganze Zeit den Kopf. Vielleicht könnten wir ja über …"

In diesem Moment hörte ich ein Rascheln. Es kam aus den Büschen, hinter dem Schulzaun.

„Psst, Flo. Da war was!"

Flo reckte den Hals, und plötzlich grinste sie über beide Ohren. „Die Kussmaschine", wisperte sie mir zu.

Leise wie zwei Meisterdetektive krochen wir an den Zaun heran. Er ist nicht sehr hoch, und mit etwas Geschick kann man leicht darüber klettern. Dahinter sind Büsche, die abwärts zur Isebek führen. Die Isebek ist unser Kanal. Und zwischen den Büschen, auf einem weichen Fleck Erde saß die Kussmaschine. Mit Annalisa. Die beiden hatten uns nicht bemerkt, aber wir hatten sie bestens im Blick. Wir konnten ihre Gesichter sogar von der Seite sehen.

Ich presste Flo, die drauf und dran war loszuprusten, die Hand vor den Mund.

„Drei Euro", hörten wir Annalisa sagen. „Wenn es mit Zunge ist, will ich drei Euro."

„Zwei Euro und 50 Cent", sagte die Kussmaschine.

„Nö“, sagte Annalisa. Ihre blonden Haare glänzten im Sonnenlicht. Ich griff nach der Kamera.

„Drei Euro“, wiederholte Annalisa streng. „Oder du kannst dir deinen Zungenkuss woanders kaufen.“

Die Kussmaschine kramte in der Hosentasche. „Da“, sagte er ergeben. „Drei Euro. Und jetzt mach die Augen zu.“

„Die Augen zu?“ Annalisa tippte sich an die Stirn. „Wieso das denn?“

„Na, weil man beim Zungenküssen die Augen zumacht“, sagte die Kussmaschine.

„Also gut. Aber nur zehn Sekunden.“ Annalisa strich sich die Haare aus dem Gesicht und schloss die Augen. Die Kussmaschine beugte sich vor, bis sie Mund an Mund waren. Flo steckte sich die Faust in den Mund. Ihr Gesicht war rot vor unterdrücktem Lachen. Und was mit meiner Kopfhaut los war, kann man sich wohl denken. Ich hätte mich am liebsten mit beiden Händen gekratzt. Aber mit der einen Hand musste ich ja die Kamera festhalten, und der Finger von der anderen Hand lag auf dem Abdruckknopf. Da … jetzt! Die Kussmaschine presste den Mund auf Annalisas Mund. Seine Zunge sahen wir nicht, aber die Kussmaschine musste sie wohl herausgestreckt haben, denn Annalisa wich angeekelt zurück.

„Bääääh“, sagte sie. „Die ist glitschig und schmeckt nach Käsekuchen.“

„Ich hab bezahlt“, sagte die Kussmaschine. „Und jetzt will ich meinen Zungenkuss.“

Dann küsste er Annalisa.

Ich drückte ab.

Und dann konnte Flo sich nicht mehr halten. Sie prustete los, und Annalisa und die Kussmaschine fuhren erschrocken auseinander.

„Wir haben eurer Foooootoooo!“, schrie ich. „Ihr kommt in die Zeiiiiiitung!“

Der Kussmaschine stand der Mund offen. Annalisa sprang auf. Sie ist in Sport ziemlich gut, aber dass sie so schnell über den Zaun springen würde, hätte ich nicht gedacht. Mit einem Satz war sie auf unserer Seite. Kreischend vor Lachen rasten Flo und ich über den Schulhof.

„ZUNGENKÜSSE FÜR DREI EUUUUUURO“, schrie ich, und Annalisa schrie: „Gib mir den Fotoapparat, oder ich BRING DICH UM!“

Aber Annalisa erwischte uns nicht.

Sie verpetzte uns auch nicht, denn dann hätte sie Frau Wiegelmann erklären müssen, warum sie von uns den Fotoapparat haben wollte.

Dafür kam Annalisa am nächsten Schultag hinter

mir her, als ich in der Fünfminutenpause aufs Klo ging. Sie quetschte sich mit in meine Kabine, schloss die Tür hinter sich zu und stellte sich mit dem Rücken davor. In ihrer Hand hielt sie eine kleine Holzkiste. In den Deckel waren Luftlöcher gebohrt, und bevor ich den Mund aufmachen konnte, hielt Annalisa mir die Kiste vor die Nase.

„Soll ich dir zeigen, was da drin ist, Lola? Oder willst du raten?“ Sie rüttelte die Kiste, und das, was darin war, machte ein schweres, plumpsendes, platschendes Geräusch.

Mir stockte der Atem, und meine Knie wurden so weich wie Butter. Ich konnte mich nicht bewegen.

„Na, Lola?“, zischte Annalisa und hielt mir die Kiste noch dichter vor die Nase. „Wenn du schon nicht raten willst, verrate ich dir, was ich Hübsches mitgebracht habe. Eine dicke, fette, schleimige, große Kröte. Sie wartet nur darauf, aus ihrem Gefängnis zu springen. Dann kannst du sie küssen. Vielleicht wird sie ja dann ein Prinz, wer weiß?“

An dieser Stelle muss ich kurz erklären, dass ich eine Froschphobie habe. Eine Phobie ist eine sehr, sehr große Angst. Eine krankhafte Angst. Ich habe diese Angst vor Fröschen, und vor Kröten natürlich erst recht. Im letzten Schuljahr hat Flo mir aus Ver-

sehen einen toten Frosch unter die Nase gehalten, da bin ich in Ohnmacht gefallen. Das, was in Annalisas Kiste war, klang größer als ein Frosch. Sehr, sehr viel größer.

„Du bist gemein, Annalisa", hauchte ich.

„Ich bin gemein?" Annalisa lächelte noch bösartiger. „Na gut, dann mache ich dir einen Vorschlag. Ich nehme die Kiste wieder mit. Und du gibst mir den Fotoapparat."

Wieder schüttelte Annalisa die Kiste, und wieder platschte und plumpste es darin, und mir wurde vor lauter Angst ganz schlecht.

„Den hab ich zu Hause", flüsterte ich.

Annalisa funkelte mich an. „Dann schwör mir, dass du das Foto zerreißt. Sobald der Film entwickelt ist, will ich es haben. In tausend kleinen Stückchen."

Ich hielt die Schwurfinger hoch. Alles hätte ich gegeben, nur um nicht das Innere der Kiste sehen zu müssen.

Annalisa schob sich zur Seite und öffnete die Klotür. „Ich vertraue dir", sagte sie. „Aber wenn ich das

Foto nicht kriege, kommt das Viech in deinen Schulranzen. Darauf kannst du Gift nehmen."

Drei Tage später hatte ich den Film verknipst, und am Abend darauf brachte Mama mir die Fotos.

Die Fotos von Lina waren verwackelt, und die anderen Fotos, die ich gemacht hatte, waren zu dunkel. Nur das Foto von Annalisa und der Kussmaschine war gestochen scharf. Es hätte ein wunderbares Titelbild abgegeben.

Aber ich zerriss es. In tausend kleine Stücke, die legte ich Annalisa am nächsten Schultag auf den Tisch.

„Tröste dich, Lola", sagte Flo zu mir. „Olaf Wildenhaus hätte uns sowieso nicht erlaubt, das Foto in die Schülerzeitung zu nehmen. Schon gar nicht auf die Titelseite."

Ich nickte. Flo hatte sicher Recht.

Trotzdem. Annalisa hatte mich mit meiner größten Angst erpresst. Und zwei Tage später sollte ich mich schon wieder über sie ärgern.

11.

TANTE LISBETH WIRD NEUNZIG, UND PAPAI GIBT EIN ZEITUNGSINTERVIEW

„Vielleicht bringen wir Harms den doppelten Salto bei und schreiben darüber was“, sagte ich.

Es war Sonntagmorgen, und ich hatte bei Flo übernachtet. Jetzt saßen wir in Flos Hochbett und warteten aufs Frühstück. Harms hockte in der Schatzkiste mit den magischen Wörtern und knabberte an „Kaschambombahosch“. Flo sammelt magische Wörter, müsst ihr wissen, und Kaschambombahosch war das magische Wort, das ich Flo einmal geschenkt hatte. Es stand auf einem schwarzen Stück Pappe, das Flo jetzt ihrem Hamster wegnahm.

„Magische Wörter isst man nicht“, sagte sie streng und setzte Harms auf der Bettdecke ab. „Für Saltos ist der schon zu alt“, fügte sie hinzu.

„Oder wir machen ein Interview mit Penelope“,

schlug ich vor. „Vielleicht gibt es ja in ihrem Leben etwas Außergewöhnliches, über das wir schreiben können.“

Als Penelope uns ein Tablett mit Brötchen und frisch gepresstem Orangensaft servierte (bei Flo dürfen wir immer im Hochbett frühstücken), drückte ich Flo Notizblock und Stift in die Hand und fing an.

Interview mit Penelope

Ich: Wie heißen Sie?
Penelope: Penelope Agatha Olivia Sommer.
Ich: Wieso haben Sie so viele Vornamen?
Penelope: Weil meine Eltern sich nicht entscheiden konnten.
Ich: Haben Sie außergewöhnliche Fähigkeiten?
Penelope: Ich kann gut singen.
Ich: Aber Sie sind nicht berühmt.
Penelope: Nein, das bin ich nicht.
Ich: Was war das außergewöhnlichste Erlebnis Ihres Lebens?
Penelope: Flos Geburt.
Ich: Wieso?
Penelope: Weil eine Geburt ein Wunder ist. Frag deine Mama, die wird dir bestimmt dasselbe sagen.

Ich: Haben Sie schon mal eine Fee gesehen?
Penelope: Ja.
Ich: ECHT? Wann???
Penelope: Als ich sieben Jahre alt war und wieder einmal Hausarrest hatte.
Ich: Und wo haben Sie die Fee gesehen?
Penelope: Auf meinem Fensterbrett.
Ich: Sie lügen!
Penelope: Das haben meine Eltern damals auch gesagt. Aber ich hatte sie wirklich gesehen. Die Fee war nicht größer als Harms und hatte lila Flügel.
Ich: Hat sie Ihnen einen Wunsch erfüllt?
Penelope: Ja.
Ich: Welchen denn?
Penelope: Ich habe mir gewünscht, erwachsen zu sein.
Ich: Und?
Penelope: Wie du siehst, ist der Wunsch in Erfüllung gegangen.
Ich: Das gilt nicht! Das Interview ist beendet.

Penelope lachte. „Seid ihr immer noch auf der Suche nach wichtigen Menschen?"

„Ja", brummte ich. „Aber ihr habt ja alle nichts zu bieten."

„Tut mir Leid", sagte Penelope. „Aber jetzt früh-

stückt mal, sonst kommen wir zu spät zu Tante Lisbeths Zentimeterfest.“

Ach ja, das Zentimeterfest. Das ist so eine verrückte Erfindung von Oma. Alle zehn Zentimeter veranstaltet sie für Tante Lisbeth ein Fest. Mama sagt, das wäre bei ihr früher auch so gewesen, und als sie 100 Zentimeter wurde, hätte Oma sogar eine richtige Party gefeiert.

Tante Lisbeth war seit gestern 90 Zentimeter groß, und zu diesem Anlass war die Familie eingeladen – zu der Flo und Penelope natürlich auch gehörten.

Opa hatte in der *Perle des Südens* einen Tisch geschmückt, und Zwerg hatte eine Weintraubentorte gebacken. Die war mit weißem Zuckerguss verziert, und obendrauf war aus grünen Weintrauben eine 90 dekoriert.

Tante Lisbeth trug wieder ihr blaues Kleid mit den Katzentatzen. Sie sah sehr stolz aus.

Wir sangen „Happy Neunzig to you“, aßen Torte und versuchten, die klebrigen Trauben aufzufangen, mit denen meine Tante um sich warf.

Zwischendurch bediente Penelope die ersten Nachmittagsgäste. Viel war nicht zu tun, aber die Frau mit den blonden Haaren, die aussah wie ein Popstar, war auch wieder da. Sie saß an dem Fenstertisch, bestellte

einen Kaffee und las die Zeitung. Vom Wasserpistolenbanditen stand heute nichts drin, der hatte schon seit ein paar Wochen keine Schlagzeilen mehr gemacht. Aber geschnappt worden war er auch noch nicht, denn das hätte bestimmt in der Zeitung gestanden.

Ich fragte Papai, ob ich ein Interview mit der Blonden machen durfte, aber er erlaubte es nicht.

„Nicht mit unseren Gästen, Lola", sagte er und sah mich so streng an, dass ich gar nicht erst versuchte, ihn zu überreden.

Und dann geschah etwas, das mich sehr, sehr wütend machte. Annalisa und die Mädchen aus der 4a tauchten in der *Perle des Südens* auf. Als Papai sie durch die Tür kommen sah, erhob er sich vom Tisch.

„Entschuldigt mich bitte für einen Moment", sagte er. „Jetzt muss ich nämlich ein Interview geben."

„EIN INTERVIEW? DU?! MIT ANNALISA???" Vor Entsetzen stieß ich fast meinen Stuhl um. Papai sah mich erstaunt an.

„Haben deine Klassenkameradinnen dir denn nichts erzählt?", fragte er. „Annalisa hat vorgestern bei uns angerufen, weil sie doch für eure Schülerzeitung über Berufe schreibt. Jetzt will sie mit mir ein Interview machen. Das ist doch eine gute Idee."

Ich schäumte fast vor Wut, und Flo sah auch völlig fertig aus. Annalisa hatte ein richtiges Aufnahmegerät im Arm, und als sie hinter Papai ins Büro marschierte, warf sie uns einen triumphierenden Blick zu.

„Das mit den Berufen hätte uns eigentlich auch einfallen können", sagte Flo zerknirscht. „In unseren Interviews haben wir einfach nur dumm rumgefragt. Mit dem Thema ‚Berufe' hätten wir deine ganze Familie in die Zeitung bringen können und Penelope auch."

„Es IST uns aber nicht eingefallen", fauchte ich. „Und WENN uns jetzt nicht langsam etwas einfällt, ist die Zeitung draußen, und wir sind nicht drin."

„Wir finden was, Lola", sagte Flo. „Wir finden bestimmt was."

Diesen Satz sagte Flo in der nächsten Woche noch ungefähr 200-mal. Am Ende der Woche fanden wir dann auch wirklich was.

Wir konnten nur nicht darüber schreiben.

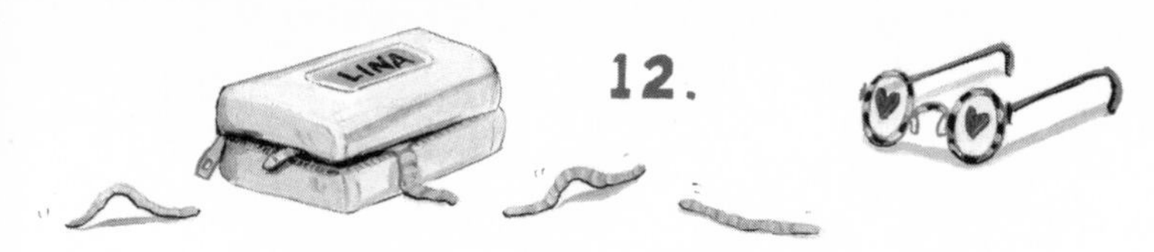

12.

EINE GANZ UND GAR NICHT WUNDERVOLLE WOCHE

Opa sagt immer, die Welt ist voller Wunder, man muss nur die Augen offen halten. Also hielten Flo und ich die Augen offen. Aber alles, was wir sahen, waren normale Lehrer und normale Eltern und normale Schulkinder.

Die einzige Ausnahme war Moritz.

Nach dem Kopfschuss auf Frau Wiegelmann hatte er eine Weile Ruhe gegeben. Aber dafür gab er in den nächsten Tagen Vollgas – und hatte sich für seine Streiche ein neues Opfer ausgesucht.

Lina.

Am Montag versteckte Moritz eine Hand voll Regenwürmer in ihrem Federmäppchen.

Am Dienstag jagte er Lina über den Schulhof, bis sie stolperte und sich das Knie aufschlug. Wenn Flo mich nicht davon abgehalten hätte, hätte ich ihn verprügelt.

Am Mittwoch riss er Lina die Brille von der Nase, und als er sie zurückgab, hatte er auf jedes Brillenglas ein rotes Herz geklebt. Zum Glück nicht mit Sekundenkleber, aber immerhin mit Uhu.

Am Donnerstag kam Lina in der Pause zu mir gelaufen. „Guck mal, was Moritz mir heute geschenkt hat", strahlte sie und hielt mir eine Dose mit Lakritz entgegen. „Zur Entschuldigung für gestern, hat er gesagt. Ist das nicht lieb?"

„Sehr lieb", knurrte ich. „Nach all dem, was er mit dir veranstaltet hat."

Aber Lakritzgummis liebe ich auch, fast so sehr wie Hubba-Bubba. Und diese hier sahen wirklich sehr, sehr lecker aus. Sie waren glänzend schwarz und länglich rund wie brasilianische Bohnen, und ich nahm mir gleich eine ganze Hand voll. Als ich sie in den Mund steckte, sah ich Moritz aus den Augenwinkeln. Er stand hinter der Schaukel, und seine Augen funkelten wie Koboldaugen.

Flo sagt, eigentlich hätte es mir in diesem Moment schon klar sein müssen. Aber Flo hat gut reden. Sie mag keine Lakritze und hatte sich deshalb auch keine in den Mund gesteckt. Ich fing jedenfalls an zu

kauen – und dann wurde mir klar, was die schwarzen, glänzenden Kügelchen in Wirklichkeit waren.

Es waren Ziegenköttel.

Ich spuckte auf den Boden und würgte, und Lina, die jetzt ebenfalls gemerkt hatte, was sie sich gerade in den Mund gesteckt hatte, musste sich übergeben.

Moritz lag vor Lachen auf dem Boden.

Flo schoss auf ihn zu, packte ihn am Genick und schüttelte ihn wie einen jungen Hund. „Es reicht!“, schrie sie. „Wenn ich dich noch EIN EINZIGES MAL bei irgendwas erwische, dann bist du die längste Zeit mein Patenkind gewesen, hast du verstanden?!“

Das wirkte. Moritz legte den Kopf schräg und sah Flo aus seinen großen blauen Augen so traurig an, dass sie ihm seufzend über die Locken strubbelte.

„Er ist ja noch ein Erstklässler“, sagte sie später zu mir.

„Toller Erstklässler“, knurrte ich. „Wie soll der denn werden, wenn er erst mal in der Vierten ist? Verfüttert er dann Pferdeäpfel? Und überhaupt, wenn du besser auf ihn aufgepasst hättest, wäre das mit dem Ziegenscheiß überhaupt nicht passiert.“

„Na hör mal!“, fauchte Flo. „Soll ich den Zwerg an die Leine nehmen, oder was? Ich bin schließlich nicht seine Lehrerin oder seine Mutter! Ich möchte wissen,

ob der Ärmste überhaupt eine hat. Gesehen hab ich sie jedenfalls noch nie.“

„Schon gut, Flo. Tschuldigung.“ Ich knuffte meine Freundin in die Seite. „Lass uns jetzt nicht auch noch mit Streiten anfangen. Das verkrafte ich nicht.“

Am Freitag verhielt sich Moritz mustergültig, aber dafür lief ich in der ersten Pause mit dem Kopf vor die Flurtür. Wir hatten gerade unseren Wahlpflichtkurs gehabt, und alle außer uns hatten mit Olaf Wildenhaus an ihren Themen gearbeitet.

Sol und Ansumana hatten 138 Witze und 27 Scherzfragen gesammelt und waren dabei, die besten auszuwählen. Annalisa durfte das Interview mit meinem Papai vorlesen und Frederike ihren Bericht über die Ziegen. Wusstet ihr, dass manche Ziegen rechteckige Pupillen haben? Ich wusste es jedenfalls nicht! Aber Frederike und Jonas hatten ihnen in die Augen geschaut. Auf den Hintern dafür nicht.

„Schreib in deinen Artikel, dass Ziegenköttel wie Lakritz aussehen“, knurrte ich.

Wir hatten leider noch immer keinen Artikel vorzuweisen, und Olaf Wildenhaus sagte, wenn Flo und ich nächsten Freitag kein Thema hätten, wäre es zu spät. Die Wahlpflichtkurse dauerten nur noch drei Wochen, und dann musste die Schülerzeitung erscheinen.

„Lass den Kopf nicht hängen", sagte Flo, „wir finden schon was."

Manchmal weiß ich nicht, woher meine Freundin diesen guten Glauben nimmt. Außer den mistblöden Streichen ihres blonden Engels hatten wir doch nichts und wieder nichts gefunden. Und wenn sich das nicht bald änderte, war es nicht nur mit der Titelseite, sondern mit der ganzen Zeitung vorbei. Also hatte ich wohl allen Grund, den Kopf hängen zu lassen – und knallte mit voller Wucht vor die Schwingtür im Flur, die sonst immer offen stand.

Zum Glück waren die anderen schon in der Pause, da konnte mich wenigstens niemand auslachen.

„VERDAMMT", schimpfte ich. „Verdammt, verdammt, verdammt."

„Komm", sagte Flo, die sich die größte Mühe gab, nicht loszuprusten. „Wir gehen zu Frau Pflock, die gibt dir ein Kühlpack."

Frau Pflock ist unsere Schulsekretärin und sitzt gleich neben dem Zimmer von Herrn Maus.

Aber jetzt war sie gerade nicht im Zimmer, und während ich vor ihrem Schreibtisch auf sie wartete, hörte ich, wie Herr Maus nebenan mit einem Mann sprach. Anscheinend war das der neue Hausmeister, von dem Frau Wiegelmann uns schon in der letzten

Woche erzählt hatte. Unser alter Hausmeister, Herr Köpke, ging nämlich in Rente.

Während ich vor Frau Pflocks Schreibtisch stand, hörte ich, wie Herr Maus über die Arbeiten sprach, die im Schulgebäude anfielen. Dann sprach er über die Regelung von Elternabenden, über die Aufgaben im Gemüsegarten und im Ziegengehege und über die Schüler.

Der neue Hausmeister sagte immer nur: „Darauf können Sie sich verlassen, Herr Direktor" und „Das kann ich gut, Herr Direktor" und „Sie werden sehen, Herr Direktor, ich erledige alles zu Ihrer vollsten Zufriedenheit."

Ich setzte mich auf den Drehstuhl vor den Schreibtisch und dachte, wenn Frau Pflock nicht gleich kommt, brauche ich kein Kühlpack mehr.

Und dann hörte ich etwas Unglaubliches. „Gibt es sonst noch Fragen?", fragte Herr Maus. Da sagte der neue Hausmeister: „Ich, ähm, also, Herr Direktor, die Sache mit meiner Vergangenheit, also, ich, ähm, ich weiß nicht, ob Sie wissen, dass …"

„Dass Sie wegen Diebstahls im Gefängnis waren?" Das war die Stimme von Herrn Maus. Sie klang freundlich und selbstverständlich. Und weiter sagte er: „Natürlich weiß ich das. Es steht ja in Ihren

Papieren. Aber dort steht auch, dass Sie wegen guter Führung vorzeitig entlassen wurden, und ich sehe keinen Grund, Ihnen nicht die Stelle anzuvertrauen."

„Dann ähm, also …" Das war wieder die Stimme des neuen Hausmeisters. Sie klang fast so, als müsste er vor Dankbarkeit das Weinen unterdrücken. „Dann bleibt die Sache also unter uns?"

„Ihre Vergangenheit wird dieses Zimmer nicht verlassen, das verspreche ich Ihnen. Ich freue mich, dass Sie bei uns anfangen, Herr Stark! Die Ziegenschule wird Ihnen gefallen, und unsere Kinder werden Sie ganz bestimmt mögen."

Dann ging sehr plötzlich die Zwischentür auf, und Herr Maus schob den Kopf ins Sekretariat. Ich hatte gerade noch Zeit, aufzuspringen und so zu tun, als wäre ich eben erst ins Zimmer gekommen.

„Hallo, Lola", sagte Herr Maus und runzelte die Stirn. „Stehst du schon lange hier?"

„Ich … bin gerade gekommen. Ich suche … Frau Pflock."

„Die musste kurz zur Apotheke, Lola. Kann ich dir vielleicht helfen?"

„Ich, nein, danke … ähm … geht schon."

„Aber unseren neuen Hausmeister kann ich dir vorstellen."

Herr Maus öffnete die Zwischentür jetzt ganz, und ich sah einen kleinen, dicken Mann mit einer runden Brille und einem roten, sehr freundlichen Gesicht.

„Das ist Herr Stark“, sagte Herr Maus. „Und das ist Lola Veloso aus der 4b.“

„Hallo Lola“, sagte Herr Stark.

„Hallo“, sagte ich. „Und auf Wiedersehen, ich ... meine ... Freundin wartet draußen auf mich.“

„Na endlich“, sagte Flo, die im Flur saß und Tunfischbaguette aß. „Wo ist denn dein Kühlpack?“

„Komm mit“, flüsterte ich. „Ich habe gerade etwas UNGEHEUERLICHES erfahren.“

Als ich Flo alles erzählt hatte, waren wir beide ganz still.

„EIN VERBRECHER IN DER ZIEGENSCHULE“, sagte ich. „Das wäre *die* Geschichte für die Titelseite.“

„Er ist aber kein Verbrecher mehr“, sagte Flo.

„Nein“, sagte ich. „Herr Stark wird unser Hausmeister und hat furchtbare Angst gehabt, dass jemand von seiner Vergangenheit erfährt.“

„Und deshalb“, sagte Flo, „werden wir die Geschichte nicht schreiben.“

„Nein“, seufzte ich. „Das werden wir nicht.“

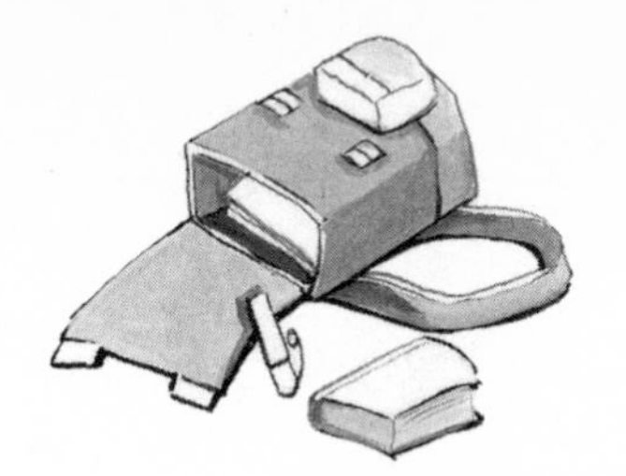

13.

DER SCHLIMMSTE TAG MEINES LEBENS

Am Samstag regnete es. Der Himmel war so grau wie alte Wäsche und passte ganz genau zu meiner Laune.

Aber am Sonntag schien wieder die Sonne, und nach dem Frühstück rief Papai aus dem Klo: „Du meine Güte, schon wieder dieser Kerl!“

Als ich fragte, welcher Kerl, kam Papai mit der Zeitung aus dem Klo und legte sie vor mich auf den Küchentisch.

Auf der Titelseite stand: **WASSERPISTOLENBANDIT ÜBERFÄLLT PARFÜMERIE.**

Im Text darunter stand, dass der Wasserpistolenbandit 400 Euro erbeutet und sich außerdem 17 Parfümsorten in die Tasche gesteckt hatte. Lauter Damendüfte. Die Ladenbesitzerin war mit nassen Haaren und einem Schock ins Krankenhaus gekommen – und die Polizei bot mittlerweile eine Beloh-

nung für hilfreiche Hinweise. Ganz unten stand: *Nach der Beschreibung der überfallenen Opfer handelt es sich um einen ca. 1 Meter 80 großen Mann, schlank, mit langen Fingern und schmalem Gesicht. Da der Bandit jedoch immer eine Strumpfmaske trägt, lassen sich genauere Merkmale nicht feststellen.*

In dieser Nacht war ich wieder Reporterin, und wieder erwischte ich den Wasserpistolenbanditen, und wieder wurde ich berühmt, weil mein Artikel darüber in allen Zeitungen stand.

Am Montagmorgen war ich sehr, sehr müde. Trotzdem riss ich auf dem Weg zur Schule meine Augen so weit auf, dass ich glaubte, sie müssten mir aus dem Kopf fallen.

Ich hatte beschlossen, Flo nicht zu erzählen, wonach ich suchte. Sie hätte mir wahrscheinlich wieder einen Vogel gezeigt oder die Augen verdreht, und Sol hätte gegrölt, und Olaf Wildenhaus hätte losgeprustet.

Aber wenn Opa schon sagt, das Leben ist voller Wunder, warum sollte mir dann nicht auch mal eins passieren? Warum sollte ich nicht ganz zufällig einen 1 Meter 80 großen, schlanken Mann mit langen Fingern und einem schmalen Gesicht entdecken?

Ich meine, wenn das Leben wirklich voller Wunder ist, dann wäre das doch möglich, oder?

Vor der Schule entdeckte ich allerdings erst mal Lina und ihre Mutter.

„Hallo Lola, wie gut, dass ich dich treffe", sagte Linas Mutter. „Darf ich dich wohl um einen Gefallen bitten? Ich muss über Mittag noch ein paar Hochzeitssträuße binden. Könntest du so lieb sein, Lina heute nach der Schule im Blumengeschäft vorbeizubringen? Lina kennt den Weg, aber ich möchte sie noch nicht alleine schicken."

„Klar, mach ich, Frau Müller", sagte ich. Aber in meinen Gedanken war ich ganz woanders, und nach der Schule hätte ich Lina fast vergessen.

„Looooola, warte", rief sie hinter mir her. „Du wolltest mich doch mitnehmen!"

„Dann komm, Lina", sagte ich. „Und mach schnell, ich hab es heute eilig."

Während der Mathestunde war mir nämlich etwas sehr, sehr Gutes eingefallen. Ich würde gar nicht irgendwo nach dem Wasserpistolenbanditen suchen. Ich würde suchen wie ein echter Detektiv.

Ich würde mir die Zeitung von Sonntag schnappen. Dann würde ich nachschauen, wo die Parfümerie war, die der Wasserpistolenbandit überfallen hatte.

Vielleicht war sie ja in der Nähe der anderen Läden, die er früher überfallen hatte. Und vielleicht könnte ich dann die Ladenbesitzer interviewen. Vielleicht konnten die ihn noch genauer beschreiben. Und vielleicht sollte ich Flo jetzt doch von meiner Idee erzählen, dann würde sie mir sicher keinen Vogel mehr zeigen, sondern vielleicht ... Ich war so in Gedanken versunken, dass ich nur mit halbem Ohr hörte, wie Flo mir hinterherrief, ich solle warten. An meiner Hand ging Lina und erzählte irgendwas über ihren Elefanten, aber auch das bekam ich nicht richtig mit.

Als wir beim Zebrastreifen die Straße überqueren wollten, guckte ich links-rechts-links, das mache ich immer völlig automatisch. Aber ich bekam nicht mit, wie Lina plötzlich loslief. Aus welchem Grund sie das tat, wusste ich nicht, ich hatte ja nicht mal richtig bemerkt, dass sie meine Hand losgelassen hatte. Sie hatte wohl gedacht, die Straße wäre frei. Oder sie hatte gedacht, bei einem Zebrastreifen darf man einfach gehen.

Auf der anderen Straßenseite hörte ich Moritz brüllen „PASS AUF, LINA!“, aber dafür war es bereits zu spät. Lina war schon auf der Straße. Und dann sah ich das Auto. Es war ein kleiner grauer Smart, und er fuhr sehr schnell.

Viel zu schnell, um zu bremsen.

Lina knallte gegen das Auto, und es gab ein hässliches, hässliches Geräusch.

Und dann flog Lina. Flog durch die Luft.

Und landete ein paar Meter weiter auf der Erde.

Und bewegte sich nicht mehr.

14. EIN SCHWARZES LOCH UND EINE RETTENDE IDEE

Am nächsten Tag stand Lina in der Zeitung. Die Schlagzeile lautete: **„ERSTKLÄSSLERIN VOR DER SCHULE ANGEFAHREN“.**

In dem Artikel stand, dass das Auto viel zu schnell gefahren war und dass Lina drei Meter durch die Luft geflogen war und dass sie wie durch ein Wunder mit einem gebrochenen Bein und einer leichten Gehirnerschütterung davongekommen war. Nicht mal ihre Brille war kaputtgegangen. Die Autofahrerin hatte eine leichte Prellung und einen schweren Schock. Beide lagen jetzt im Krankenhaus, wo Mama als Krankenschwester arbeitet.

Davon, dass ich nicht richtig aufgepasst hatte, stand nichts in der Zeitung – und niemand, niemand war böse auf mich. Mama nicht und Papai nicht und Oma nicht und Opa nicht und Flo natürlich auch

nicht und nicht mal Linas Mama, die noch am selben Nachmittag aus dem Krankenhaus anrief. Alle sagten, es wäre nicht meine Schuld. Alle sagten, es war das Auto, das zu schnell gefahren ist. Alle sagten, ich sollte mir keine Vorwürfe machen.

Aber ich machte mir Vorwürfe. Ich machte mir solche Vorwürfe, dass ich fast daran erstickte.

Die ganze Woche lang wollte ich nicht zur Schule und brauchte auch nicht. Mama hatte mir eine Entschuldigung geschrieben, und am Dienstag kam eine Karte von meiner Klasse. Alle hatten liebe Worte draufgeschrieben, sogar Annalisa.

Flo kam jeden Nachmittag und versuchte, mich aufzuheitern, aber ich saß nur da und starrte Löcher in die Luft. In meinem Bauch war auch ein Loch. Ein großes, tiefes, grässlich schwarzes Loch. Und in meinem Kopf saß eine kleine, gemeine Stimme, die wieder und wieder dieselben Sätze sagte: „Du hast nicht aufgepasst. Du hattest die Verantwortung, und du hast nicht aufgepasst."

Montag und Dienstag nahm Mama sich frei und blieb bei mir. Sie setzte sich an mein Bett und malte mir ein Bild von einer Fee. Es war eine wunderwunderschöne Fee mit schillernden Flügeln und einem lila Zauberstab. Mama kann malen wie eine echte

Künstlerin, und ich liiiiiebe es, ihr dabei zuzusehen. Aber diesmal sah ich nur an die Decke, und am Mittwoch musste Mama wieder ins Krankenhaus.

Papai blieb zu Hause. Auch er setzte sich an mein Bett und spielte alle meine Lieblingslieder auf der Gitarre. Mittags kochte er brasilianische Bohnen und sagte: „Los, Cocada, wir zwei machen jetzt ein Pupskonzert, bis die Wände wackeln." Aber nicht mal das konnte mich zum Lachen bringen.

Ich konnte ja nicht mal weinen, wie an dem Tag, als wir Tante Lisbeth auf der Rickmer Rickmers verloren hatten. Da hatte ich auch die Verantwortung gehabt und nicht aufgepasst. Aber da war nichts passiert, da hatten wir Glück gehabt.

Dafür weinte das Wetter. Die Woche hatte mit einem feinen Flüsterregen begonnen, der mit jedem Tag stärker wurde, als wollte er den Sommer von der Erde putzen. Die Blätter färbten sich gelb, und im Hinterhof fielen die ersten Kastanien von den Bäumen. Wenn sie auf dem Boden landeten, krachte es, und jedes Mal, wenn es krachte, sah ich vor meinen Augen das Auto, das Lina erfasst und durch die Luft geschleudert hatte.

Am Mittwochnachmittag kamen Opa und Tante Lisbeth mich besuchen. Tante Lisbeth trug ein rotes

Regenkäppi, und in der Hand hielt sie einen großen Korb.

„Ola nich raurig sein", sagte sie, und da musste ich zum ersten Mal lächeln.

„Na Rotkäppchen, hast du mir Wein und Kuchen mitgebracht?"

„Ubba ubba", sagte Tante Lisbeth und griff in den Korb. Sie hielt mir einen Hubba-Bubba-Kaugummi mit Colageschmack hin, und als ich in den Korb sah, war er voll mit meinen Lieblingskaugummis. Opa schenkte mir ein Schmusekissen.

„Gelb macht glücklich", sagte er, als er mir das Kissen aufs Bett legte.

„Das Kissen ist aber rot", murmelte ich. Mein Opa ist farbenblind, müsst ihr wissen.

„Umso besser", sagte Opa. „Rot ist die Farbe der Liebe. Komm schon, Lola, Kopf hoch. Sieh das Gute im Schlechten. Lina hätte tot sein können, aber ein gebrochenes Bein ist schnell wieder heil. Du wirst sehen, bald springt sie wieder mit dir auf dem Schulhof herum."

Ich drückte das Kissen an meine Brust, schloss die

Augen und versuchte, mir vorzustellen, wie ich mit Lina Wetthüpfen machte und wie Lina gewann.

Am Donnerstag kam Oma und erzählte mir, dass in einer anderen Stadt auch ein kleines Kind von einem Auto angefahren worden war.

„Die Einzigen, die sich Vorwürfe machen sollten, sind diese Schnellraser“, schimpfte sie. „Es ist einfach ganz unglaublich, dass vor den Schulen nicht strengere Maßnahmen getroffen werden!“

Diesen Gedanken hatte offensichtlich auch Olaf Wildenhaus gehabt. Als Flo am Freitag aus der Schule kam, brachte sie mir eine Nachricht, die mich endlich aus meinem schwarzen Loch herausholte.

Draußen goss es in Strömen, und Flo war so nass, dass sie eine Pfütze auf meinem Kinderzimmerteppich machte. Aber ihre Augen leuchteten wie Sonnen, und sie war vor lauter Aufregung ganz außer Atem.

„Stell dir vor, Lola“, sagte sie, „stell dir vor, wir machen Interviews mit Verkehrsverbrechern.“

„Mit Verkehrsverbrechern?“ Ich runzelte die Stirn. „Was soll das denn heißen?“

„Das soll heißen, dass Olaf Wildenhaus mit Herrn Früchtenicht gesprochen hat.“ Flo strich sich die nassen Haare aus dem Gesicht und fuchtelte mit den Händen in der Luft herum. „Frederike hat ihm von

dem Unfall erzählt, und Olaf Wildenhaus hat Herrn Früchtenicht angerufen und ihm gesagt, dass man da doch etwas machen müsste. Und was glaubst du, hat Herr Früchtenicht gesagt? Nächste Woche kommt er mit einem Polizeikollegen zu uns an die Schule. Sie blitzen die Schnellfahrer, und wir dürfen mitmachen! Olaf Wildenhaus besorgt uns ein echtes Mikro. Damit sollen wir die Schnellfahrer interviewen, und die besten Interviews kommen in die Schülerzeitung. Olaf Wildenhaus sagt, es ist wichtig, dass so was in die Zeitung kommt. Weil die Autofahrer dann vielleicht besser aufpassen und wenigstens vor den Schulen nicht so schnell fahren. Mann, Lola, wie findest du das? Wir kommen auf die Titelseite!"

„Die Titelseite ist mir pupsegal", sagte ich, und das meinte ich in diesem Moment auch wirklich. Aber das große schwarze Loch in mir bekam gelbe Flecken.

Ich finde zwar nicht, dass Schnellfahrer Verbrecher sind, denn Mama und Papai fahren auch oft zu schnell und sind auch schon geblitzt worden.

Aber ich hatte das Gefühl, endlich etwas tun zu können.

Die ganze Woche lang hatten mich die Vorwürfe gelähmt, und als Mama gesagt hatte, dass Lina sich über meinen Besuch im Krankenhaus freuen würde,

hatte ich NEIN, NEIN, NEIN geschrien. Ich hätte Lina einfach nicht ins Gesicht sehen können.

Jetzt konnte ich es. Heute Abend, wenn Mama nach Hause kam, würde ich sie fragen, ob ich morgen mit ins Krankenhaus dürfte.

LINA UND MORITZ

Flo wollte auch mit. Mama hatte Nachmittagsschicht, und bevor wir ins Krankenhaus fuhren, hielten wir bei Oma im Buchladen. Als wir eintraten, kam uns eine aufgeregte Frau entgegen.

„Halten Sie sich bloß von diesem Laden fern!“, schimpfte sie. „Ich wollte ein Buch für meine Tochter kaufen, und was macht diese Person? Hackt auf mich ein, ich wäre schuld, wenn mein Kind verblödet. Es ist doch wirklich ganz unglaublich!“

Wütend rauschte die Kundin an uns vorbei. Flo und ich stießen uns grinsend in die Seite, und Mama verzog das Gesicht. „Na, vertreibst du wieder deine Kundschaft?“

Oma hatte vor Ärger einen ganz roten Kopf. Sie hat ziemlich extreme Ansichten über Bücher, müsst ihr wissen.

„Wie hieß denn das Buch, das die Frau kaufen wollte?“, erkundigte sich Flo.

„*Brumm, brumm, Brommi Bärchen*“, schnaubte Oma. „Es handelt von einem rosa Plüschbären, der beim Honignaschen ein Bienchen verschluckt hat. Und das arme Mädchen, das diesen Schwachsinn geschenkt bekommen sollte, ist sieben Jahre alt!“

„Klingt wie die Fortsetzung von *Hüpf, hüpf, Hopsi Häschen*“, sagte Flo.

Das Buch hatte Oma auch einem Kunden verboten zu kaufen – und dann hatte Penelope es Tante Lisbeth geschenkt.

„*Brumm, brumm, Brommi Bärchen* ist die Fortsetzung von *Hüpf, hüpf, Hopsi Häschen*“, schnauzte Oma sie an. „Und wehe, du erzählst Penelope davon!“

„Mach ich nicht“, versprach Flo, und dann kauften wir drei Bücher für Lina. Oma empfahl uns *Ronja Räubertochter* von Astrid Lindgren, *Kleiner Werwolf* von Cornelia Funke und *Die Unendliche Geschichte* von Michael Ende.

„Meinst du nicht, für *Die Unendliche Geschichte* ist Lina noch ein bisschen zu jung?“, fragte Mama besorgt.

„Für ein gutes Buch ist man nie zu jung“, sagte Oma und packte die Bücher ein.

Dann fuhren wir zu Lina ins Krankenhaus.

de Locken wie Moritz, aber um die Augen herum sah sie müde aus.

„Hallo Lola", sagte Moritz und wurde so rot wie seine Rosen. „Hallo Flo."

„Flo?" Die blonde Frau schob sich ins Zimmer und sah Flo an, als ob sie ein Engel wäre. „Bist du Moritz' Patin?"

Flo nickte, und die Frau sagte: „Kann ich dich vielleicht mal kurz unter vier Augen sprechen?"

Flo nickte verwirrt. Sie ging mit Moritz' Mutter in den Flur. Als sie weg waren, zog ich Moritz am Ohr.

„Was willst du denn hier?", fragte ich streng. „Und was sind das für Rosen? Du hast wohl hoffentlich keine Bombe drin versteckt?"

„Nein, nein, natürlich nicht!" Moritz kratzte sich verlegen an der Nase. „Ich … will Lina nur besuchen. Wirklich! Und die Rosen sind aus dem Blumenladen ihrer Mutter."

Lina lächelte ihn so lieb an, als ob er ihr nie etwas getan hätte, und ich zog Moritz gleich nochmal am Ohr. „Meine Mutter arbeitet hier, hörst du? Wenn ich Klagen höre, schneid ich dir die Ohren ab!"

Moritz nickte schüchtern, und Lina sagte: „Du kannst ruhig gehen, Lola. Moritz war vorgestern schon hier. Die Blumen dahinten sind auch von ihm!"

Sie zeigte auf einen weiteren Strauß Rosen am Fenster. Kopfschüttelnd verließ ich das Zimmer und ging hoch zu Mamas Station. Sie arbeitete bei den Herzpatienten.

Vom Schwesternzimmer aus rief ich Opa an, damit er uns im Krankenhaus abholte. Eine Viertelstunde später kam auch Flo ins Schwesternzimmer. Mama war gerade beim Chefarzt.

„Erzähl!“, sagte ich. „Was wollte die Frau von dir?“

„Sich bedanken“, sagte Flo. „Sie hat mir erzählt, dass sie und Moritz' Vater sich vor einem halben Jahr getrennt haben und dass Moritz total darunter leidet. Sein Vater ist mit Moritz' großer Schwester in eine andere Stadt gezogen. Seine Mutter sagt, Moritz wollte nicht mit, aber seine Schwester vermisst er wohl noch mehr als den Vater.“

Flo nahm sich einen Keks vom Tisch und fuhr schmatzend fort. „Bevor ich seine Patin wurde, hat er wohl noch viel schlimmere Dinge angestellt, und seine Mutter kann sich kaum kümmern, weil sie so viel arbeiten muss. Erst wollte sie ihn gar nicht einschulen, sondern ihn im Ganztagskindergarten lassen. Aber die waren froh, dass sie Moritz los waren, und Moritz' Mutter sagt, ich wäre das Beste, das ihm überhaupt passieren konnte. Sie sagt, er spricht je-

den Abend von mir. Von mir und …“ Flo grinste. „… von Lina. Nach ihrem Unfall hat er die ganze Nacht geweint, und seiner Mutter hat er gesagt, dass er Lina später heiraten will. Aber das darf ich eigentlich nicht verraten, also halt bloß die Klappe!“

„Heiraten? Dein Moritz meine Lina?“ Ich schüttelte den Kopf. „Kommt nicht in Frage! So wie er die geärgert hat, das ist ja wohl eine sehr schöne Art, jemandem seine Liebe zu zeigen!“

„Na ja“, Flo grinste. „Was sich liebt, das neckt sich. Weißt du doch. Und dass Moritz sie jetzt mit roten Rosen im Krankenhaus besucht, ist doch wohl das Größte, oder?“

„Hmpf“, schnaubte ich. Aber irgendwie fand ich das mit den roten Rosen ja auch sehr romantisch.

Dann kam Mama ins Schwesternzimmer, und ich fragte sie, ob wir vor dem Gehen noch ein Interview mit ihr machen durften. „Um nicht aus der Übung zu kommen, wegen nächster Woche“, sagte ich.

„Dann aber jetzt“, sagte Mama. „In fünf Minuten muss ich meine Runde machen.“

„Okay“, sagte ich. „Dann jetzt. Ich frage, und du schreibst, Flo.“

Interview mit Mama

Ich: Wie heißen Sie?
Mama: Viktualia Jungherz. Aber alle nennen mich Vicky.
Ich: Sind Sie schon mal zu schnell gefahren?
Mama: Ja, schon ein paarmal.
Ich: Sind Sie dafür ins Gefängnis gekommen?
Mama: Das nicht, aber ich musste eine Geldstrafe zahlen.
Ich: Haben Sie schon mal jemanden überfahren?
Mama: Nein, zum Glück nicht.
Ich: Haben Sie schon mal einen Toten gesehen?
Mama: Ja.
Ich: Wo?
Mama: Im Krankenhaus.
Ich: Und wie sah der Tote aus?
Mama: Sehr friedlich. Es war ein alter Herr, und als er starb, saß ich an seinem Bett und habe seine Hand gehalten.
Ich: War dies das außergewöhnlichste Erlebnis in Ihrem Leben?
Mama: Nein. Das außergewöhnlichste Erlebnis in meinem Leben war deine Geburt. Aber jetzt, wo du fragst … Irgendwie hatte ich in beiden Momenten

das Gefühl, dass etwas Unsichtbares im Zimmer schwebte.

Ich: Eine Fee?

Mama: Nein, ein Engel.

Ich: Das klingt schön. Vielen Dank und auf Wiedersehen.

Auf dem Weg nach draußen flitzten Flo und ich nochmal zu Linas Zimmer und linsten durch den Türspalt. Moritz' Mutter konnten wir nicht sehen, aber Moritz saß jetzt an Linas Bett und sah mit ihr das Werwolfbuch an. Benjamin saß auf seinem Schoß, und Moritz' rote Rosen standen auf dem Nachttisch.

Später erzählte mir Lina, dass in dem Buch auch eine Lina und ein Moritz vorkommen. Sie sind die allerbesten Freunde und erleben ein sehr, sehr aufregendes Abenteuer miteinander.

Opa hat Recht. Im Schlechten steckt immer das Gute, und das Beste stand uns noch bevor.

16.

SCHNELLFAHRER 1 BIS 16

Am Montag in der ersten Pause wurden Flo, Frederike und ich ins Sekretariat gerufen. Frederike wollte bei der Blitzaktion natürlich auch dabei sein, was für uns auch kein Problem war.

Um Frau Pflocks Tisch standen Herr Früchtenicht, Olaf Wildenhaus und Herr Lettenewitsch. Herr Lettenewitsch ist ein echter Zeitungsreporter, der damals mit Olaf Wildenhaus einen Zeitungsartikel über unsere Müllaktion geschrieben hat.

„Diesen Freitag geht es los“, sagte Herr Früchtenicht. „Nach der Schule blitzen wir die Schnellfahrer. Und ihr macht die Interviews. Die beiden Herren von der Zeitung werden auch dabei sein.“

„Allerdings bleiben wir im Hintergrund“, sagte Olaf Wildenhaus. „Bernd und ich schreiben einen Artikel für das Wochenblatt. Und eure Interviews kommen natürlich in die Schülerzeitung.“ Er zwinkerte mir zu. „Auf die Titelseite.“

„Lassen sich die Autofahrer denn einfach so interviewen?“, fragte ich.

„Wir müssen sie natürlich um Erlaubnis fragen“, sagte Herr Früchtenicht. „Aber Herr Wildenhaus hat uns erzählt, dass eine ähnliche Aktion schon mal an einer anderen Schule durchgeführt wurde. Und da lief es wohl sehr gut.“

„Von meiner Schwester“, sagte Frederike. „Das war die Schule von meiner Schwester. Und wir bekommen für die Interviews ein echtes Mikrofon, stimmt doch, Olaf, oder?“

„Ja, das stimmt.“ Olaf Wildenhaus schulterte seine Tasche und ging mit Bernd Lettenewitsch zur Tür. „Also dann. Freitag um zwölf vor dem Schulgebäude.“

Vier Tage können sehr, sehr lang sein, wenn man auf ein besonderes Ereignis wartet. Aber zum Glück hatte ich ja Lina versprochen, jeden Nachmittag ins Krankenhaus zu kommen. Flo kam mit, und Moritz kam auch mit. Jedes Mal brachte er Lina Blumen mit. Meistens Rosen, aber einmal auch Sonnenblumen. Dass er die aus dem Gemüsegarten unserer Schule abgeschnitten hatte, sagte er allerdings nicht, das verriet mir Flo erst später.

In der Nacht von Donnerstag auf Freitag war ich so aufgeregt, dass ich mir nicht mal etwas vorstellen konnte, und am Freitagmorgen kribbelte meine Kopfhaut so sehr, als ob tausend Läuse eine Party auf mir feiern würden.

Als ich um Punkt zwölf mit Flo und Frederike aus der Schule kam, war schon alles vorbereitet. Ein Kollege von Herrn Früchtenicht stand vor dem Schulausgang am Straßenrand. Neben ihm, auf einem Stativ, war ein Gerät angebracht, das aussah wie ein Fotoapparat.

„Das ist ein Lasermessgerät“, erklärte uns Herr Früchtenicht. „Damit misst der Kollege die Geschwindigkeit der vorbeifahrenden Autos. Wir stellen uns ein Stück weiter an die Brücke. Über Funk übermittelt uns der Kollege, welches Auto schneller als 30 Stundenkilometer fährt – und diese Autos halten wir dann an. Die Herren von der Zeitung halten sich, wie gesagt, im Hintergrund. Ihr Mädchen bleibt an meiner Seite. Wenn ich die Autofahrer anhalte, dürft ihr sie interviewen. Aber schön abwechselnd und nur, wenn die Autofahrer nichts dagegen haben.“

„Sie sind doch Polizist“, sagte Flo „Sie können die doch einfach zwingen, ein Interview zu machen.“

„Nein“, lachte Herr Früchtenicht. „Ich kann ihnen einen Strafzettel geben, aber für das Interview brauchen wir ihre Erlaubnis.“

„Ich bin gespannt, wie viele wir überhaupt erwischen“, sagte Frederike, als wir vor der Brücke standen. Eigentlich hätte sie heute nach der Schule Jazztanz gehabt. Frederike hat ziemlich viele Termine, müsst ihr wissen. Deshalb kann man sich nachmittags fast nie mit ihr verabreden. Aber für heute hatte sie den Jazztanz abgesagt, denn unser Interview war ja nun wirklich wichtiger.

„Ich wette auf fünfzehn“, sagte sie. „Und ihr?“

„Zwanzig“, sagte Flo.

„Fünfunddreißig“, sagte ich.

Dann rauschte Herr Früchtenichts Funkgerät. „Schwarzer Golf“, meldete der Kollege. „Kennzeichen HH-JS 713. Geschwindigkeit: 50 Stundenkilometer.“

„Boaah! Das waren 20 zu schnell!“, schrie ich, und da kam der schwarze Golf auch schon. Herr Früchtenicht hielt seine Kelle hoch, beugte sich zum Fenster hinunter und kurz darauf winkte er mich heran.

„Dein erstes Interview, Lola.“

Ich schaltete das Mikrofon ein und ging mit festen Schritten auf das Auto zu. Hinter dem Steuer saß ein älterer Herr, der mir freundlich zuzwinkerte.

„Na, das sind ja Zustände“, sagte er. „Jetzt wird man sogar schon von der Presse angehalten.“

„Von der Schülerzeitung“, sagte ich. „Ich heiße Lo. Ve. und bin Reporterin. Sind Sie bereit für das Interview?“

Der ältere Herr grinste noch breiter. „Bitte sehr!“

Interview mit Schnellfahrer 1

Ich: Wie heißen Sie?
Schnellfahrer 1: Arthur Gottlieb.
Ich: Was sind Sie von Beruf?
Schnellfahrer 1: Früher war ich Schornsteinfeger. Jetzt bin ich Rentner.
Ich: Und warum sind Sie dann so gerast? Meine Oma sagt, Rentner haben's gut, die haben alle Zeit der Welt.
Schnellfahrer 1: Dann ist deine Oma bestimmt noch nicht in Rente. Aber ehrlich gesagt war mir gar nicht klar, dass ich so gerast bin. Das kommt davon, wenn man mit seinen Gedanken nicht bei der Sache ist.
Ich: Wo waren Sie denn mit Ihren Gedanken?
Schnellfahrer 1: Bei meiner Verlobten.
Ich: Das ist schlecht. Wissen Sie denn nicht, dass hier eine Schule ist?

Schnellfahrer 1: Darauf habe ich leider überhaupt nicht geachtet.
Ich: Das ist sehr, sehr schlecht! Hier ist nämlich in der letzten Woche ein kleines Mädchen angefahren worden. Sie heißt Lina Müller und liegt jetzt mit gebrochenem Bein im Krankenhaus. Was sagen Sie dazu?
Schnellfahrer 1: Das ist ja furchtbar!
Ich: Ja, das ist sehr, sehr furchtbar. Haben Sie überhaupt einen Führerschein?
Schnellfahrer 1: Natürlich!
Ich: Dann haben Sie ja Glück, dass Sie ihn behalten dürfen. Versprechen Sie jetzt hoch und heilig, dass

Sie nie wieder an Ihre Verlobte denken, wenn Sie an unserer Schule vorbeifahren?
Schnellfahrer 1: Ich verspreche es.
Ich: Vielen Dank für das Interview.

Bevor der erste Schnellfahrer weiterfuhr, gab ihm Herr Früchtenicht einen Strafzettel und ich schüttelte ihm noch einmal kräftig die Hand. Bei Schornsteinfegern soll so was ja Glück bringen, und Arthur Gottlieb war immerhin ein Schornsteinfeger in Rente. Dann drückte ich Flo das Mikro in die Hand, und wir warteten auf den nächsten Schnellfahrer.

Unsere Wette gewann übrigens Frederike. Nach dem Schornsteinfeger in Rente hielten wir noch zwölf weitere Schnellfahrer an. Alle bekamen einen Strafzettel – und alle waren bereit zu einem Interview!

Flo interviewte eine Sekretärin, einen Autoverkäufer, einen Flugzeugpiloten, einen Architekten und eine 77-jährige Dame. Die war sogar noch schneller gefahren als der Rentner. Mit 65 Stundenkilometern war sie an unserer Schule vorbeigepest, das muss man sich mal vorstellen!

Frederike interviewte eine Mutter aus der 4a, eine Kellnerin, einen Hausmann, einen Taxifahrer und den Torwart von Sankt Pauli. Das war Schnellfahrer

Nummer 12, und Frederike bekam eine Freikarte für das nächste Spiel. Darauf war ich ziemlich neidisch.

Ich interviewte nach dem Schornsteinfeger in Rente noch einen Malermeister, eine Fußpflegerin und eine Frau, die während des Interviews einen knallroten Kopf bekam. Die war Schnellfahrerin Nummer 13, und das Interview ging so:

Interview mit Schnellfahrerin 13

Ich: Wie heißen Sie?
Schnellfahrerin 13: Margarete Schmidt-Hermann.
Ich: Was sind Sie von Beruf?
Schnellfahrerin 13: Direktorin.
Ich: Direktorin von was?
Schnellfahrerin 13: Vom Helene-Lange-Gymnasium.
Ich: Sie sind Schuldirektorin und rasen an einer Grundschule vorbei?
Schnellfahrerin 13 (mit knallrotem Kopf): Tja, also … es ist mir wirklich sehr peinlich.
Ich: Warum sind Sie denn zu schnell gefahren?
Schnellfahrerin 13: Weil ich zu meiner Tochter wollte. Die liegt krank im Bett.
Ich: Wie alt ist denn Ihre Tochter?
Schnellfahrerin 13: Siebenundzwanzig.

Ich: So alt? Hat sie eine außergewöhnliche Krankheit?
Schnellfahrerin 13: Meine Tochter hat Husten.
Ich: Keuchhusten?
Schnellfahrerin 13: Nein, Bronchitis.
Ich: Eine tödliche Bronchitis?
Schnellfahrerin 13: Nein, eine gewöhnliche Bronchitis.
Ich: Dann machen Sie ihr am besten eine heiße Zitrone mit viel Zucker und einem Schuss Wodka. Und fahren Sie nie wieder zu schnell an unserer Grundschule vorbei, nur weil Ihre erwachsene Tochter eine gewöhnliche Bronchitis hat!
Schnellfahrerin 13: Das verspreche ich!
Ich: Vielen Dank für das Interview.

„Du bist ja ziemlich streng, Lola!“, kicherte Herr Früchtenicht, als die Schuldirektorin weitergefahren war.

„Dazu habe ich ja wohl auch allen Grund“, sagte ich.

Nach meiner Schuldirektorin stoppte Herr Früchtenicht einen blauen Ford, einen grünen Audi und einen silbernen Mercedes. Komischerweise waren das die Einzigen, die sich nicht interviewen lassen

wollten. Herr Früchtenicht sah auf seine Uhr. „Ich denke auch, wir haben genug.“

„Einen noch“, bettelte ich.

„Also gut“, sagte Herr Früchtenicht. „Aber dann ist Schluss.“

„Versprochen“, sagte ich.

Unser letzter Schnellfahrer war wieder eine Frau. Sie saß in einem roten Mini – und war die absolut außergewöhnlichste Entdeckung meines Lebens.

17.

SCHNELLFAHRERIN NUMMER 17

Eigentlich wäre ja jetzt Frederike an der Reihe gewesen. Aber als ich sah, wer in dem roten Mini saß, stieß ich sie so fest in die Seite, dass sie nach Luft schnappte. In dem roten Mini saß die blonde Frau aus der *Perle des Südens.* Die Frau, die mich damals „junges Fräulein“ genannt hatte. Die Frau, die aussah wie ein Popstar.

Meine Kopfhaut fing wie wild an zu kribbeln. „Die kenn ich, Frederike“, sagte ich. „Lass mich das machen!“

Etwas unwillig überließ mir Frederike das Mikro, und ich stellte mich neben Herrn Früchtenicht. Die Blonde trug ein schwarzes Lederkostüm, und ihre Lippen waren wieder rot geschminkt. Aber ihr Lächeln war heute überhaupt nicht freundlich. Ziemlich verschreckt sah sie aus, und ihre Finger trommelten auf das Lenkrad. Sie machte ganz und gar nicht den Eindruck, als ob sie bereit für ein Interview wäre, aber ich

war zu allem entschlossen. Ich schob mich vor Herrn Früchtenicht und beugte mich zu der Blonden ans Fenster.

„Wir brauchen das Interview für unsere Schülerzeitung", sagte ich. Herr Früchtenicht war einen Schritt zurückgetreten, und die Blonde fuhr sich nervös durch die Haare. Sie hatte ziemlich lange Finger, und ihr schmales Gesicht schien mit jeder Sekunde blasser zu werden.

„Ich, also … ich habe es eigentlich ziemlich eilig", sagte sie mit ihrer tiefen Stimme.

„Keine Sorge. Das geht ganz schnell." Ich knipste das Mikro an, und noch ehe die Blonde etwas erwidern konnte, legte ich los.

Interview mit Schnellfahrerin 17

Ich: Wie heißen Sie?
Schnellfahrerin 17: Olivia Sanders.
Ich: Was sind Sie von Beruf?
Schnellfahrerin 17: Ich … wieso willst du das denn wissen?
Ich: Das gehört zum Interview. Außerdem habe ich mich das bei Ihnen schon die ganze Zeit gefragt. Sind Sie vielleicht Popstar?

Schnellfahrerin 17: Wie bitte?! Nein! Ich … ich arbeite in einem Büro. Ich … bin Bürokauffrau.
Ich: Und warum sind Sie zu schnell gefahren?
Schnellfahrerin 17: Ich … also ich habe einen wichtigen Termin. Und da muss ich jetzt auch hin, junges Fräulein.
Ich: Ich heiße nicht junges Fräulein! Mein Name ist Lo. Ve. Ich bin Reporterin für die Schülerzeitung. Und Sie müssen wissen, dass hier letzte Woche ein kleines Mädchen angefahren …
Schnellfahrerin 17: Also, es tut mir wirklich Leid, dass ich zu schnell gefahren bin. Das kannst du auch gerne in deine Zeitung schreiben, aber schalte gefälligst dieses Ding ab, und lass mich weiterfahren!

An dieser Stelle brach ich das Interview ab, weil die Stimme der Blonden plötzlich einen ganz merkwürdigen Ton bekommen hatte. Den letzten Satz hatte sie richtig gezischt, und ihre Augen funkelten mich bedrohlich an.

Ich weiß auch nicht, warum ich ausgerechnet in diesem Moment auf den Beifahrersitz blickte. Vielleicht weil die Blonde nach der Zeitung greifen wollte, die dort lag. Es sah aus, als ob sie versuchte, die Zeitung über ihre Handtasche zu legen. Die Hand-

tasche war so rot wie die Lippen der Frau. Der goldene Reißverschluss war offen – und genau in dem Moment, wo die Frau ihre Zeitung über die Tasche legen wollte, sah ich, was daraus hervorlugte.

Es war der schwarze Griff einer Pistole.

18.

RATTER, RATTER UND TATÜTATA

Habt ihr schon mal das Gefühl gehabt, euch steckt ein Fußball in der Kehle? Dieses Gefühl hatte ich, als ich den Pistolengriff sah. Ich wollte schreien, aber es ging nicht. In den Augen der Frau sah ich, dass sie wusste, was ich in ihrer Handtasche entdeckt hatte. Herr Früchtenicht stand nur ein paar Schritte hinter mir, aber immer noch weit genug, um nicht mitzukriegen, was die Frau mir jetzt zuzischte.

„Hör mir mal genau zu, junges Fräulein! Ein einziges Wort – und es knallt. Hast du verstanden?"

Ich hätte ja genickt, wenn ich nur gekonnt hätte.

Aber ich stand nur da, meine Füße waren wie angewurzelt, während meine Knie zitterten wie Wackelpudding. Ich sah, wie die Frau mit ihren langen Fingern den Zündschlüssel herumdrehte und das Auto starten wollte. Aber das Auto startete nicht. Es machte nur *ratter, ratter, ratter* – und genau dasselbe machte es jetzt auch in meinem Kopf.

Lange Finger, dachte ich. Ein schlanker Mann mit langen Fingern und einem schmalen Gesicht.

Und während die schlanke, blonde Frau mit der tiefen Stimme, dem schmalen Gesicht und den langen Fingern immer verzweifelter versuchte, das Auto zu starten, drehte ich mich zu Herrn Früchtenicht um.

„Der Wasserpistolenbandit", presste ich hervor. „Hier – sitzt – der – Wasserpistolenbandit!"

Herr Früchtenicht runzelte die Stirn und machte einen Schritt vor. Frederike und Flo, die sich zu Olaf Wildenhaus und Bernd Lettenewitsch gestellt hatten, reckten die Köpfe.

Die Blonde fluchte, fummelte immer verzweifelter an ihrem Zündschloss herum – und dann sprang das Auto an.

Die Blonde drückte aufs Gas und raste los. Herr Früchtenicht schrie in sein Funkgerät. „Verbrecher an der Isebekbrücke. Verfolgung aufnehmen – sofort!"

Dann ging alles sehr schnell. Im nächsten Augenblick raste der Kollege in seinem Zivilwagen an uns vorbei. Man konnte nur von Glück sagen, dass keine Schulkinder unterwegs waren, denn der Polizeikollege fuhr mit Sicherheit weit schneller als 30 Stunden-

kilometer. Im Fahren hatte er das Polizeihorn aufs Dach gesetzt und nahm mit lautem TATÜTATA die Verfolgung auf.

Der rote Mini war schon außer Sicht, und aus der anderen Richtung kam ein grüner VW angefahren, der mit quietschenden Reifen vor uns bremste.

„Was ist denn hier los?", schimpfte der Mann, der hinter dem Steuer saß und das Fenster heruntergekurbelt hatte. „Die Verrückte wäre fast in mich reingerast. Ist das hier nicht eine Tempo-30-Zone?"

Niemand antwortete ihm.

Herr Früchtenicht war schon in Richtung Schule gerast. Olaf Wildenhaus stand hinter mir und hielt mich an den Schultern fest, weil ich sonst nämlich einfach umgekippt wäre.

Fünf Minuten später sausten sechs weitere Polizeiwagen an uns vorbei, alle mit heulender Sirene. Auf der Bismarckstraße war die Hölle los. Menschen kamen aus den Häusern gelaufen, Fenster sprangen auf, Frederike, die jetzt neben mir stand, war blass wie Ziegenkäse, und Flo rief immer wieder wie eine aufgezogene Sprechpuppe: „Oh mein Gott, oh mein Gott, oh mein Gott."

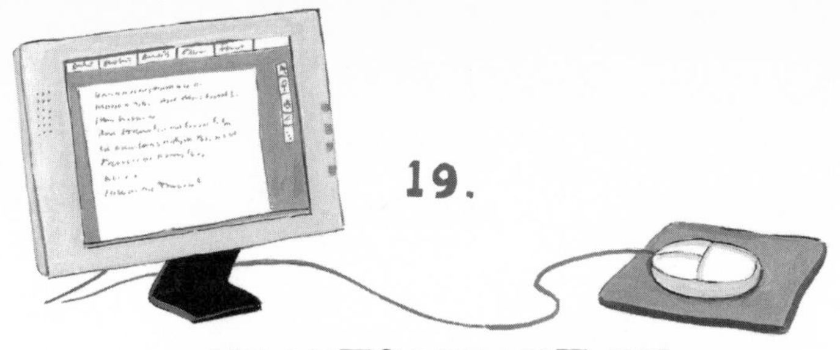

19.

NACHTSCHICHT IN DER PERLE DES SÜDENS

Eine Viertelstunde später hatte die Polizei den roten Mini eingeholt. Der Wasserpistolenbandit – oder vielmehr: die Wasserpistolenbanditin – war überführt und ins Gefängnis gebracht worden.

Herr Früchtenicht kam noch am selben Abend zu uns nach Hause und erzählte uns haarklein, was passiert war. Quer durchs Viertel waren die Streifenwagen der Blonden gefolgt, über rote Ampeln und Kreuzungen, durch Haupt- und Seitenstraßen, bis der rote Mini schließlich in einer Sackgasse auf den Bürgersteig gefahren und in den Bananenstand eines Obst- und Gemüsehändlers gerast war. Dort hatten sie die Wasserpistolenbanditin festgenommen. So richtig mit Pistolen, „Hände hoch“ und Handschellen.

„Auf der Wache erfuhren wir, dass die gute Dame

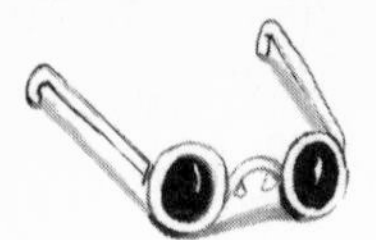

gerade wieder in Aktion gewesen war“, sagte Herr Früchtenicht. „Zehn Minuten vor deinem Interview hatte sie einen Brillenladen überfallen. Zweihundert Euro aus der Kasse und fünf ziemlich teure Sonnenbrillen waren noch in ihrer Handtasche. Außerdem die Strumpfmaske, ein paar schwarze Handschuhe und die Wasserpistole. Tja, Lola. Glückwunsch! Ohne dich hätten wir sie nicht geschnappt.“

Oma, die mit Opa und Tante Lisbeth bei uns am Küchentisch saß, schüttelte nur noch mit dem Kopf.

„Da kann man mal sehen“, meinte sie. „Alle suchen nach dem bösen Mann, und dabei ist es eine Frau – die in der *Perle des Südens* ihren Kaffee trinkt und sich von meiner Enkelin bedienen lässt!“

„Und ich habe sie auch noch für einen Popstar gehalten“, kicherte ich. „Aber sie hatte ja auch wirklich eine Männerstimme. Und ihre blonden Haare hatte sie unter der Strumpfmaske versteckt. Und die Finger in den Handschuhen. Aber lang waren sie wirklich. Ich glaube, ich habe noch nie so lange Finger gesehen. Und ihre Wasserpistole sah ziemlich echt aus.“

„Pemm, Pemm“, sagte Tante Lisbeth, die zur Feier des Tages ihre eigene Wasserpistole mitgebracht hatte. Ihr wisst schon, die kleine, gelbe, die ich damals

bei den Mülltonnen beim Spielplatz gefunden hatte. Flo hatte sie mit Wasser gefüllt, und Tante Lisbeth spritzte Herrn Früchtenicht auf die Polizeijacke.

Oma schimpfte, aber Herr Früchtenicht drohte meiner Tante nur scherzhaft mit dem Zeigefinger. „Pass bloß auf, sonst kommst du auch ins Gefängnis."

„Unglaublich ist das Ganze ja schon", fand Opa. „Ich meine, wer kommt denn auf die Idee, mit einer Wasserpistole Läden zu überfallen? Und dann auch noch die Leute nass zu spritzen! "

„Das ist immerhin noch besser, als sie totzuschießen", sagte Papai.

„Da haben Sie allerdings Recht", stimmte Herr Früchtenicht zu, und Mama sagte: „Ich kenne eine Geschichte von einem Bankräuber, der mit einem dressierten Löwen die Zentralbank von London überfallen hat."

Herr Früchtenicht lachte. „Was kennen Sie denn für Geschichten?"

„Oh, viele", sagte Papai. „Meine Frau kennt sehr viele Geschichten – und fast alle sind unglaublich."

„Und wir haben jetzt auch eine Geschichte", sagte Flo. „Ich wette sogar, dein Name steht bald in der Tageszeitung, Lola."

„Das glaube ich auch", seufzte Papai. „Bernd Lette-

newitsch hat schon angerufen und gefragt, ob er für die nächste Ausgabe seiner Wochenzeitung ein Interview mit Lola machen darf."

In der Hamburger Morgenpost stand bereits am nächsten Tag ein Artikel auf der Titelseite. Die Schlagzeile lautete: **„VIERTKLÄSSLERIN ÜBERFÜHRT WASSERPISTOLENBANDITIN“.**

Gleich nach dem Frühstück fuhr ich mit Mama ins Krankenhaus, um Lina die ganze Geschichte zu erzählen. Linas Opa war auch gerade zu Besuch und sah mich mit breitem Grinsen an.

„Alle Achtung“, sagte er. „Da hast du ja am Ende doch noch einen Verbrecher geschnappt.“

„Jawohl“, sagte ich. Dann las ich Lina den Zeitungsartikel vor, und eine Stunde später holten mich Penelope und Flo ab. Es war ein Samstag, aber für uns würde es jede Menge Arbeit geben. Ende nächster Woche waren die Wahlpflichtkurse vorbei, und wenn die Schülerzeitung pünktlich erscheinen sollte, wurde es höchste Zeit für unseren Artikel. Wir fuhren in die *Perle des Südens*, wo wir uns mit Frederike verabredet hatten.

Opa hatte uns das Büro frei geräumt, und Zwerg hatte uns eine ganze Platte mit Papo-de-anjo gebacken, damit wir besser arbeiten konnten.

„Olaf hat gesagt, wir sollen die Interviews für die Innenseiten nehmen“, sagte Frederike. „Aber nicht alle. Wir sollen uns die fünf besten aussuchen. Der Artikel über die Blitzaktion soll nach vorne.“

„Wir müssen aber aufpassen, dass wir nicht nur über die Wasserpistolenbanditin schreiben“, sagte ich. „Schließlich geht es ja vor allem um die Schnellfahrer. Das war ja Sinn der Sache.“

Inzwischen war ich natürlich doch sehr stolz, dass ich ein so wichtiges Thema gefunden hatte – obwohl das Thema ja eigentlich mehr mich gefunden hatte. Aber die Sache mit Linas Unfall quälte mich immer noch, vor allem nachts, wenn ich nicht schlafen konnte.

In einer Nacht hatte ich mir wieder vorgestellt, dass ich die Fee traf. Sie wohnte jetzt in einer leeren Pralinenschachtel, die sie sich sehr gemütlich eingerichtet hatte. Als wir noch mal auf meinen Wunsch zu sprechen kamen, musste ich nicht lange überlegen: „Ich wünsche mir, dass Linas Bein wieder ganz gesund wird und dass Lina nie mehr etwas Schlimmes passiert – und allen anderen Menschen, die ich lieb habe, auch nicht.“

Die Fee sagte, das wäre doch ein guter Wunsch, und spuckte sich kräftig auf den Finger. Zum Glück

pinkelte Flo mir in dieser Nacht nicht dazwischen, und ich war sehr zuversichtlich, dass mein Wunsch in Erfüllung gehen würde.

„Natürlich schreiben wir vor allem über die Schnellfahrer", sagte Flo, die zwischen mir und Frederike vor dem Computer hockte.

Und während es draußen immer dunkler und in der *Perle des Südens* immer lauter wurde, saßen wir drei am Computer und arbeiteten mit heißen Köpfen an unserem Artikel. Eigentlich war es sehr, sehr gut, dass wir Frederike dabeihatten. Sie kannte sich mit Zeitungsartikeln ziemlich gut aus und fand immer die besten Formulierungen, wenn wir mal nicht weiterkamen. Aber Flo ist auch eine gute Schreiberin, und zusammen waren wir ein richtiges Reporterteam. Wir nannten uns Lo.Ve., Flo.So. und Fre.Schwe., weil Frederike mit Nachnamen Schwertfeger heißt.

„Lies mal vor, Lola", sagte Frederike, als wir das Ergebnis ausgedruckt hatten.

Ich steckte mir das letzte Papo-de-anjo in den Mund, kaute, schluckte und las:

EIN UNFALL, 16 SCHNELLFAHRER UND DIE WASSERPISTOLENBANDITIN

Am 25. September passierte vor der Ziegenschule ein schrecklicher Unfall. Lina Müller aus der 1b wurde von einem viel zu schnellen Auto angefahren und flog viele Meter durch die Luft. Es war ein wahres Glück, dass Lina Müller sich nur ein Bein gebrochen hat. Sie hätte tot sein können!

Als Warnung für alle Schnellfahrer wurde vor der Ziegenschule eine sehr außergewöhnliche Blitzaktion gestartet. Folgende wichtige Personen haben dabei mitgemacht: Schulpolizist Früchtenicht, sein Kollege Herr Kurz, zwei außergewöhnlich wichtige Herren von der Zeitung (Bernd Lettenewitsch und Olaf Wildenhaus) sowie das besonders außergewöhnliche Reporterteam Lo.Ve., Flo.So. und Fre.Schwe. aus der 4b.

Insgesamt 19 Schnellfahrer wurden geblitzt. Alle haben die erlaubte Geschwindigkeit von 30 Stundenkilometern überschritten. Insgesamt 16 Schnellfahrer waren bereit für ein Interview. Ein außergewöhnlicher Schnellfahrer war der weltberühmte Torwart von Sankt Pauli. Zur Entschuldigung überreichte er Reporterin

Fre.Schwe. eine Freikarte für das nächste Spiel. Außergewöhnlich waren außerdem: ein Schornsteinfeger in Rente, eine Schuldirektorin mit einer erwachsenen Tochter mit gewöhnlicher Bronchitis und eine 77-jährige Frau, die am schnellsten von allen gefahren war. Diese Interviews sind nachzulesen auf den Innenseiten.

Die außergewöhnlichste Person von allen wurde interviewt und entdeckt von Reporterin Lo.Ve. Diese Person war eine schlanke Blondine mit schmalem Gesicht und langen Fingern. Sie sah aus wie ein Popstar, aber in Wirklichkeit war sie der gesuchte Wasserpistolenbandit.

Während des Interviews entdeckte Reporterin Lo.Ve. mit ihren eigenen Augen die Tatwaffe. Furchtlos und mit kribbelnder Kopfhaut gab Lo.Ve. der Polizei Bescheid. Nach einer lebensgefährlichen Verfolgungsjagd gelang es der Polizei, die Banditin zu schnappen.

Ganz Hamburg jubelt – aber das ist nicht die Hauptsache dieses Zeitungsartikels. Die Hauptsache dieses außergewöhnlichen Zeitungsartikels ist und bleibt, dass schnelle Autos vor einer Grundschule eine sehr gefährliche Sache sind! Das Reporterteam der Schülerzeitung befiehlt deshalb allen Autofahrern: RUNTER VOM GAS *vor allen Schulen, heute und für alle Zeiten in Ewigkeit.*

„Also ich finde, das klingt ziemlich gut“, sagte Frederike und rieb sich die Augen. Inzwischen war es kurz vor Mitternacht, und erst jetzt merkte ich, wie fröhlich es im Restaurant zuging. Das freute mich. In der *Perle des Südens* war in letzter Zeit nämlich nicht sehr viel los gewesen, was Papai und Opa ziemliche Sorgen machte.

„Das Restaurant muss brummen, sonst sehe ich schwarz“, hatte Opa neulich zu Papai gesagt. Ich glaube, das sollte heißen, dass die *Perle des Südens* mehr Gäste brauchte. Aber heute feierte ein Mann seinen 40. Geburtstag im Restaurant – und es war mal wieder richtig voll.

Als Frederike den Computer ausschaltete, sagte Flo: „Gleich singt Penelope.“

„Was? Das hast du mir ja gar nicht erzählt“, rief ich.

„Wie auch?“, Flo rieb sich die Augen. „Wir hatten ja wohl wichtigere Dinge im Kopf, oder?“

Das stimmte natürlich, aber singen hören wollte ich Penelope natürlich schon. Dass sie zur Hälfte Sängerin war, wusste ich ja bereits von Flo. Aber sie bekam keine Jobs, und in der *Perle des Südens* arbeitete sie deshalb als Kellnerin.

Aber als wir drei aus dem Büro kamen und Pene-

lope auf der Bühne sahen, sah sie nicht wie eine Kellnerin aus. Sie trug ein blaues Kleid mit Glitzerpailletten, die mit ihren blauen Augen um die Wette strahlten. Im Rampenlicht sah sie aus wie ein Superstar.

„Deine Mutter ist ja richtig sexy“, staunte Frederike, und Flo sah sehr stolz aus.

„Wenn wir nicht schon die Wasserpistolenbanditin geschnappt hätten, hätten wir Penelope für die Titelseite nehmen können“, flüsterte ich Flo zu. „Und die Schlagzeile hätte gelautet: **„DEUTSCHLAND SUCHT DEN SUPERSTAR – UND VIERTKLÄSSLERINNEN ENTDECKEN WELTBERÜHMTE SÄNGERIN“.**

Penelope sah nicht nur aus wie eine weltberühmte Sängerin, sie sang auch so. Um Mitternacht sang sie für den Geburtstagsgast „Happy Birthday to you“, und dann sang sie noch vier brasilianische Lieder. Ihre Stimme war rau und sanft zugleich, und als sie mit Singen fertig war, klatschten alle.

Der Geburtstagsgast, ein Mann mit einem langen, dünnen Zopf, stand sogar auf und überreichte Flos Mutter eine Rose und eine Karte.

„Der Kerl hat ein Fünfsternehotel in Berlin“, erzählte Penelope, als wir später noch zusammensa-

ßen. „Mit großer Bar und Live-Musik. Stellt euch vor, der wollte mir doch glatt einen Job anbieten."

„Was?", riefen Flo und ich wie aus einem Mund. „Der spinnt wohl!"

Papai guckte auch ganz erschrocken, aber Penelope lachte ihn aus.

„Keine Sorge", sagte sie. „Solange mein Job hier sicher ist, gehe ich nirgendwo hin."

Als das Geburtstagsfest vorbei war und die Gäste gingen, nickte der Mann mit dem blonden Zopf Penelope noch einmal zu. Flo streckte ihm die Zunge raus, aber Penelope sagte ihm höflich auf Wiedersehen.

Als ich das sah, musste ich plötzlich daran denken, dass Penelope keinen Mann hatte und Flo keinen Vater. Flo hatte angedeutet, dass ihr Vater tot war, aber mehr hatte sie nicht gesagt.

„Woran ist dein Vater eigentlich gestorben?", fragte ich, als ich später mit Flo in ihrem Hochbett lag.

Als Antwort erhielt ich ein Schnarchen – und im nächsten Moment überfiel auch mich der Schlaf.

20. DIE HAMBURGER ZIEGENPOST

Bis unsere erste Schülerzeitung herauskam, dauerte es noch zehn Tage, und in dieser Zeit trafen wir uns sogar nachmittags mit Olaf Wildenhaus. Schließlich gab es noch jede Menge zu tun: Alle Artikel, Bilder und Fotos wurden eingesammelt, überprüft, verbessert und in der richtigen Reihenfolge zusammengestellt. Dann wurden fehlende Überschriften ergänzt, und schließlich brauchten wir noch einen Namen für die Schülerzeitung!

Es gab viele Vorschläge, aber den besten hatte Annalisa: ZIEGENPOST. Den fanden wir alle gut, denn schließlich waren wir ja auch die Ziegenschule, und das ist schon ein ziemlich besonderer Name.

Mario, der übrigens ein richtig guter Zeichner ist, malte einen Ziegenkopf, der wurde unser Zeichen. Und der Name ZIEGENPOST stand in großen roten Buchstaben auf der Titelseite, direkt über unserem Artikel.

Zusammen mit Frederike und Olaf Wildenhaus brachten Flo und ich die Zeitungsseiten zum Kopieren. Es sollten tausend Exemplare werden – und pünktlich zum Ende der Wahlpflichtkurse war unsere ZIEGENPOST dann endlich fertig!

Lina war schon seit einer Woche aus dem Krankenhaus entlassen, aber ihren Gips hatte sie immer noch. Zur Schule gebracht wurde sie mit dem Auto, und in den Pausen ging sie mit Krücken über den Schulhof.

Moritz war jetzt immer an ihrer Seite, worauf Flo fast ein bisschen eifersüchtig war. Dafür hatten seit Linas Unfall seine Streiche deutlich nachgelassen. Außer dass Moritz beim Ziegendienst versuchte, Flocke Fleischwurstscheiben auf die Hörner zu spießen und im Kunstunterricht statt Deckweiß Majonäse benutzte, verhielt er sich mustergültig.

„Krasse Zeitung“, sagte er, als wir ihm und Lina nach Schulschluss ein Exemplar der ZIEGENPOST gaben.

Ja, unsere Ziegenpost war wirklich sehr, sehr gut.

Alle fanden das: Lina und Moritz, Frau Wiegelmann und Herr Koppenrat, Herr Stark und Frau Pflock und Herr Maus, Olaf Wildenhaus und Bernd Lettenewitsch, Herr Früchtenicht und sein Kollege,

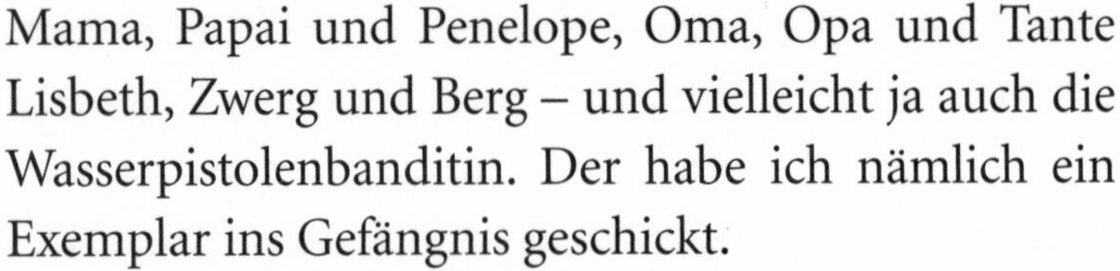

Mama, Papai und Penelope, Oma, Opa und Tante Lisbeth, Zwerg und Berg – und vielleicht ja auch die Wasserpistolenbanditin. Der habe ich nämlich ein Exemplar ins Gefängnis geschickt.

Ich musste ziemlich lange betteln, bis Herr Früchtenicht mir die Adresse gab, aber schließlich verdankten wir unsere Titelseite nicht zuletzt ihr. Doch auch die anderen Artikel konnten sich sehen lassen. Flo sagt, von denen muss ich unbedingt noch erzählen.

Also: Annalisa und die beiden Mädchen aus der 4a hatten zwei Doppelseiten mit ihren Berufen gefüllt. Das Interview mit Papai stand ganz am Anfang, und ganz am Schluss kam ein Interview mit Herrn Stark, unserem neuen Hausmeister. Dass er in seiner Vergangenheit Verbrecher war, hatte Herr Stark Annalisa natürlich nicht erzählt. Das wussten nur Flo und ich – und Herr Stark war so nett, dass wir es niemals weitererzählen würden.

Sol und Ansumana hatten mit ihren Witzen ebenfalls eine Doppelseite gefüllt. Flos Lieblingswitz war der mit dem Elefanten im Kühlschrank, aber meiner war der mit dem sprechenden Papagei:

Ein Mann geht in die Zoohandlung, um einen sprechenden Papagei zu kaufen. Der Verkäufer sagt: „Da

habe ich etwas sehr Besonderes für Sie", und zeigt dem Mann einen großen roten Papagei. „Dieser Vogel kann mehrere Sprachen sprechen", sagt der Verkäufer. „Wenn Sie ihn zum Beispiel am rechten Bein ziehen, spricht der Papagei französisch. Und wenn Sie am linken Bein ziehen, spricht er chinesisch." Der Mann staunt und fragt: „Und wenn ich ihn an beiden Beinen ziehe?" Da sagt der Papagei auf Deutsch: „Dann fall ich auf den Hintern, du Idiot!"

Natürlich standen auch ernste Sachen in der ZIEGENPOST: Dimitris und Tom aus der 4c hatten einen sehr interessanten Bericht über ihren Schulausflug ins Planetarium geschrieben und der Größe nach alle Planeten darunter gemalt. Wusstet ihr, dass Merkur der kleinste und Jupiter der größte Planet ist? Ich weiß es – seit der ZIEGENPOST!

Die Dreiergruppe aus der 4a berichtete über die anderen Wahlpflichtkurse: über das Holzspielzeug, das Frau Wiegelmann mit ihrem Handwerkskurs geschreinert hatte, über die Rezepte aus aller Welt, die der Kochkurs gekocht hatte, und über den Malwettbewerb, an dem die Kinder aus der Malwerkstatt teilgenommen hatten. Das Malthema war ‚Mein Traumleseplatz' gewesen, und die besten

Bilder waren in der ZIEGENPOST abgedruckt. Auf meinem Lieblingsbild lag ein Kind auf einem fliegenden Teppich und flog lesend durch den Sternenhimmel. Diese Idee fand ich einfach wunderschön.

Frederikes und Jonas' Ziegenartikel war natürlich auch gedruckt worden, und auf der vorletzten Seite standen der Beitrag aus unserer Patenklasse und das Kussgedicht.

Der Beitrag aus der Patenklasse war von Lina. Sie hatte in ihrer klitzekleinen Krickelschrift geschrieben: Di Zigehnschule ist tol. Am libsten mahk ich Kunnst und meine Pahtentanne Lolla! Lina Müller, 1b.

Das Kussgedicht war von der Kussmaschine. Es war von Kussmündern umrahmt, und Flo sagt, eigentlich hätte das Gedicht auch auf die Titelseite gemusst, denn es war so gut wie von einem echten Dichter.

Hier ist es:

Zungenküsse warm und weich,
sind immer anders und nie gleich.
Sie kribbeln wunderbar im Mund
Und sind auf jeden Fall gesund!
Manche sind ein bisschen teuer,
Aber lecker sind sie ungeheuer!
Manchmal schmecken sie nach Käsekuchen,

Doch auch diese sollte man versuchen.
Manche schmecken auch nach Apfelsine.
Dies schrieb euch eure Kussmaschine.

Auf der Rückseite unserer ZIEGENPOST standen schließlich die Rätsel von Sila und Riekje. Damit beschäftigten Flo und ich uns einen ganzen Nachmittag. Mein Lieblingsrätsel liest man am besten laut. Flo und ich mussten die Lösung nachgucken, und dann stellten wir das Rätsel Mama und Oma, die gerade mit Tante Lisbeth am Küchentisch saßen.

Flo fragte: „Fritzchens Mutter hat drei Kinder. Sching, Schang und …?“

„Schong“, sagte Mama.

„NEIN“, kreischte Flo, und ich sagte: „Nochmal: Fritzchens Mutter hat drei Kinder: Sching, Schang und …?“

„Schung“, sagte Oma und versuchte, Tante Lisbeth einen Löffel Möhrenpapp in den Mund zu schieben.

„NEIN“, kreischte ich, und Flo sagte: „Nochmal: Fritzchens Mutter hat drei Kinder: Sching, Schang und …?“

„Fitzen“, sagte Tante Lisbeth.

„Nicht Fitzen“, verbesserte Oma. „Das heißt Fritzchen, Lisbeth!“

„UND ES IST DIE LÖSUNG!“, kreischten Flo und ich. „Fritzchens Mutter hat drei Kinder: Sching, Schang und Fritzchen!“

Oma und Mama starrten Tante Lisbeth an, und ich sagte: „Wenn du erst mal so alt bist wie wir, Tante Lisbeth, dann wirst du die Chefin aller Rätselseiten!“

Ja. Das alles stand also in der ersten Ausgabe unserer ZIEGENPOST. Und meiner Geschichte, die vor vielen Seiten mit der Fee anfing, fehlen jetzt nur noch die Belohnung und das letzte Interview.

Die Belohnung für die erfolgreichen Hinweise zur Überführung der lang gesuchten Wasserpistolenbanditin erhielt ich am ersten Ferientag vom Polizeichef persönlich. Es waren 300 Euro, die ich mit Flo und Frederike teilte. Schließlich waren die beiden ja auch dabei gewesen.

Und am Samstag drauf gab ich dann mein Interview für das Wochenblatt.

Flo sagt, das kommt zum guten Schluss.

Interview mit Lo.Ve.:

Wochenblatt: Wie heißt du?
Ich: Abgekürzt heiße ich Lo.Ve. Ganz heiße ich Lola Veloso.

Wochenblatt: Wie alt bist du?
Ich: Fast genau zehn.
Wochenblatt: Welchen Zweck hatte eure Blitzaktion vor der Grundschule?
Ich: Wir wollten Schnellfahrer stoppen und Interviews mit ihnen machen. Damit wollten wir in die Zeitung, damit nie wieder ein Kind vor unserer Schule angefahren wird.
Wochenblatt: Und wie war das für dich, als du die Wasserpistolenbanditin erwischt hast?
Ich: Es war natürlich sehr, sehr aufregend.
Wochenblatt: Hattest du Angst?
Ich: Ich? Nö! Die Wasserpistolenbanditin hatte Angst.
Wochenblatt: Dann bist du ja wirklich mutig, Lola. Hast du denn überhaupt vor etwas Angst?
Ich: Ja. Vor Krieg, vor sehr, sehr schrecklichen Sachen und vor einer Tierart.
Wochenblatt: Vor welcher Tierart hast du Angst?
Ich: Das geht die Zeitung nichts an. (Schließlich muss ja nicht die ganze Welt von meiner Froschphobie erfahren!)
Wochenblatt: Was willst du mal werden, wenn du groß bist?
Ich: Eigentlich wollte ich Reporterin werden. Aber

das war ich ja jetzt schon. Ich glaube, als Nächstes werde ich wahrscheinlich Spionin.

Wochenblatt: Oh! Was willst du denn spionieren?

Ich: Das werden Sie schon noch sehen!

Wochenblatt: Na, da sind wir ja mal alle gespannt. Also dann: Vielen Dank für das Interview.

© Boris Rostami

Isabel Abedi wurde 1967 in München geboren und ist in Düsseldorf aufgewachsen. Nach ihrem Abitur verbrachte sie ein Jahr in Los Angeles als Aupairmädchen und Praktikantin in einer Filmproduktion und ließ sich anschließend in Hamburg zur Werbetexterin ausbilden. In diesem Beruf hat sie dreizehn Jahre lang gearbeitet. Abends am eigenen Schreibtisch schrieb sie Geschichten für Kinder und träumte davon, eines Tages davon leben zu können. Dieser Traum hat sich erfüllt. Inzwischen ist Isabel Abedi Kinderbuchautorin aus Leidenschaft. Ihre Bücher, mit denen sie in verschiedenen Verlagen vertreten ist, wurden zum Teil bereits in mehrere Sprachen übersetzt und mit Preisen ausgezeichnet. Isabel Abedi lebt heute mit ihrem Mann und zwei Töchtern in Hamburg – und genau wie bei LOLA kommt auch in ihrer Familie der „Papai" aus Brasilien!

© Ulrike Schacht

Dagmar Henze wurde 1970 in Stade geboren. Sie studierte an der Fachhochschule für Gestaltung in Hamburg Illustration und hat seither bei verschiedenen Verlagen zahlreiche Kinderbücher illustriert. Wenn sie gerade nicht am Zeichentisch sitzt, geht Dagmar Henze gerne mit Isabel Abedi zum Joggen – und dann kommen die beiden direkt an Lolas Schule, der Ziegenschule, vorbei! Denn Dagmar Henze lebt, genau wie Lola, in Hamburg. Deshalb machen ihr die Zeichnungen für die Lola-Bücher auch besonders großen Spaß.

Lola ist ein Star!

Lola hat einen brasilianischen Vater, eine 80 Zentimeter große Tante und ein paar Millionen Fans, wenn sie sich nachts in die berühmte Sängerin Jacky Jones verwandelt. Was Lola nicht hat, ist eine beste Freundin – und die wünscht sie sich am allermeisten. Per Luftballon schickt sie ihren Herzenswunsch in den Himmel. Und bekommt eine geheimnisvolle Flaschenpost zurück …

Als weltberühmte Geheimagentin Jane Fond rettet Lola Nacht für Nacht die Welt. Tagsüber ist sie als Spionin leider weniger erfolgreich. Dabei steckt das Restaurant ihres Vaters in ernsten Schwierigkeiten: Ein bekannter Kritiker droht, einen schlechten Artikel über das Lokal zu schreiben. Wie echte Geheimagentinnen setzen sich Lola und ihre Freundin Flo auf die Fährte des fiesen Mannes und spionieren ihn aus. Eine gefährliche Mission – die noch komplizierter wird, als Lola sich zu allem Übel in den Sohn ihres Erzfeindes verliebt ...